Die Herrlichkeit des Lebens

Michael Kumpfmüller

Die Herrlichkeit des Lebens

Roman

Kiepenheuer & Witsch

Verlag Kiepenheuer & Witsch, FSC-N001512

2. Auflage 2011

Umschlaggestaltung: Barbara Thoben, Köln
Umschlagmotiv: © akg-images
Autorenfoto: © juergen-bauer.com
Gesetzt aus der Walbaum Text
Satz: Pinkuin Satz und Datentechnik, Berlin
Druck und Bindung: GGP Media GmbH, Pößneck
ISBN 978-3-462-04326-6

Für Eva

»Es ist sehr gut denkbar, dass die Herrlichkeit des Lebens um jeden und immer in ihrer ganzen Fülle bereit liegt, aber verhängt, in der Tiefe, unsichtbar, sehr weit. Aber sie liegt dort, nicht feindselig, nicht widerwillig, nicht taub. Ruft man sie beim richtigen Wort, beim richtigen Namen, dann kommt sie. Das ist das Wesen der Zauberei, die nicht schafft, sondern ruft.«

Franz Kafka, Tagebücher (1921)

Eins | kommen

1

DER DOKTOR KOMMT SPÄTABENDS an einem Freitag im Juli.
Das letzte Stück von der Bahnstation im offenen Wagen
hat kein Ende genommen, es ist noch immer sehr heiß,
er ist erschöpft, aber jetzt ist er da. Elli und die Kinder
warten in der Empfangshalle auf ihn. Er hat kaum Zeit,
sein Gepäck abzustellen, da stürmen Felix und Gerti auf
ihn zu, reden auf ihn ein. Seit dem frühen Morgen waren
sie am Meer, wollen am liebsten gleich wieder hin und
ihm zeigen, was sie gebaut haben, eine riesige Sandburg,
der Strand ist voll von ihnen. Nun lasst ihn doch erst mal,
mahnt Elli, die die verschlafene Hanna auf dem Arm hat,
aber sie reden immer weiter von ihrem Tag. Elli fragt:
Wie war die Reise? Willst du etwas essen? Der Doktor
überlegt, ob er etwas essen will, denn Appetit hat er
keinen. Trotzdem geht er kurz nach oben in die Ferien-
wohnung, die Kinder zeigen ihm, wo sie schlafen, sie sind
elf und zwölf und suchen tausend Ausreden, warum sie
noch nicht ins Bett können. Das Fräulein hat einen Teller
mit Nüssen und Früchten vorbereitet, eine Karaffe Wasser
steht bereit, er trinkt, sagt der Schwester, wie dankbar er
ihr ist, denn in den nächsten drei Wochen wird er hier
essen, sie werden viel Zeit zusammen verbringen, wobei
sich zeigen muss, wie er das auf die Dauer findet.

Der Doktor erhofft sich nicht viel von diesem Aufent-
halt. Er hat schlimme Monate hinter sich, zu Hause bei
den Eltern wollte er nicht länger bleiben, da kam die Ein-

ladung an die Ostsee gerade recht. Das Quartier hat die Schwester aus der Zeitung, eine Annonce, die vorzügliche Betten und solide Preise versprach, dazu Balkone, Veranden, Loggien, direkt am Hochwald mit herrlichem Blick auf die See.

Sein Zimmer liegt am anderen Ende des Flurs. Es ist nicht allzu groß, aber es gibt einen Schreibtisch, die Matratze ist hart, außerdem hat es zur Waldseite hin einen schmalen Balkon, der Ruhe verheißt, wenngleich von einem nahe gelegenen Gebäude Kinderstimmen zu hören sind. Er packt seine Sachen aus, ein paar Anzüge, Wäsche, Lektüre, das Schreibpapier. Er könnte Max berichten, wie die Gespräche im neuen Verlag verlaufen sind, aber das kann er dieser Tage noch erledigen. Es war seltsam, nach all den Jahren in Berlin zu sein, und vierundzwanzig Stunden später ist er hier in Müritz, in einem Haus, das sich *Glückauf* nennt. Elli hat bereits einen Scherz darüber gemacht, sie hofft, dass der Doktor in der Seeluft ein paar Kilo zunimmt, obwohl sie beide wissen, dass das nicht sehr wahrscheinlich ist. Alles wiederholt sich, denkt er, die Sommer seit Jahren in irgendwelchen Hotels oder Sanatorien, und dann die langen Winter in der Stadt, wo er manchmal für Wochen das Bett nicht verlässt. Er ist froh, allein zu sein, setzt sich ein wenig auf den Balkon, wo noch immer die Stimmen sind, dann geht er zu Bett und findet ohne Mühe in den Schlaf.

Als er am nächsten Morgen erwacht, hat er mehr als acht Stunden geschlafen. Er weiß sofort, wo er ist, er ist am Meer in diesem Zimmer, weit weg von allem, was er bis zum Überdruss kennt. Die Stimmen der Kinder, die ihn gestern in den Schlaf begleitet haben, sind auch wieder da, sie singen ein Lied, auf Hebräisch, wie nicht schwer zu erkennen ist. Sie sind aus dem Osten, denkt er, es gibt

Ferienheime für diese Kinder, vor zwei Tagen in Berlin hat Puah, seine Hebräischlehrerin, erwähnt, dass es auch eins in Müritz gibt, und nun ist es in unmittelbarer Nähe. Er tritt auf den Balkon und sieht zu ihnen herüber. Mit den Liedern sind sie fertig, sie sitzen vor dem Haus an einem langen Tisch und frühstücken, sehr laut und fröhlich. Vor einem Jahr in Planá hat er sich an solchen Geräuschen sehr gestört, aber jetzt freut er sich beinahe über das Geplapper. Er erkundigt sich bei seiner Schwester, ob sie etwas von ihnen weiß, aber Elli weiß nichts und scheint sich zu wundern, dass er plötzlich so aufgeregt ist, fragt nach seiner Nacht, ob er mit dem Zimmer zufrieden ist, ja, er ist zufrieden, er freut sich auf den Strand.

Der Weg ist weiter als gedacht, man geht fast eine Viertelstunde. Gerti und Felix tragen die Taschen mit den Badesachen und dem Proviant, rennen ein Stückchen vor und wieder zurück zu ihm, der nur langsam nachfolgt. Das Meer liegt silbrig glatt in der Sonne, überall sieht man Kinder in bunten Badekleidern, die im flachen Wasser plantschen oder mit Bällen spielen. Elli hat zum Glück einen eigenen Strandkorb für ihn gemietet, rechts von der Landungsbrücke, sodass er alles gut im Blick hat. Rund um die gestreiften Strandkörbe sind überall kniehohe Sandburgen gebaut, mindestens jede zweite ist mit einem Davidstern aus Muscheln geschmückt.

Gerti und Felix wollen ins Wasser und freuen sich, dass er mitkommt. Im Uferbereich ist das Wasser badewannenwarm, aber dann schwimmt er mit den beiden hinaus, bis sich auch kältere Strömungen bemerkbar machen. Gerti möchte, dass er ihr zeigt, wie man toter Mann macht, es ist gar nicht schwer, und so treiben sie eine Weile im glitzernden Wasser, bis vom Ufer die Stimme von Elli zu hören ist. Er soll es nicht übertreiben, mahnt sie. Hat er gestern Abend nicht leichtes Fieber gehabt? Ja, gibt der

Doktor zu, aber seit heute Morgen ist das Fieber weg. Trotzdem tut es jetzt gut, ruhig im Strandkorb zu sitzen, es muss weit über dreißig Grad haben, in der Sonne ist es kaum auszuhalten. Auch Gerti und Felix sollen es mit der Sonne nicht übertreiben, sie legen gerade mit Kiefernzapfen die Anfangsbuchstaben seines Namens in den Sand. Lange sitzt er einfach da und schaut den Kindern zu, hört ab und zu einen Fetzen Jiddisch, die mahnende Stimme eines der Betreuer, die nicht älter als Mitte zwanzig sind. Gerti hat Kontakt zu einer Gruppe Mädchen, von denen sie auf Nachfrage berichtet, ja, sie kämen aus Berlin, sie machen Ferien wie wir, in einem Heim nicht weit von uns.

Der Doktor könnte stundenlang so sitzen. Elli fragt ihn dauernd, wie er sich fühlt, immer in diesem mütterlich besorgten Ton, den er an ihr schon kennt. Er hat mit Elli nie so reden können wie er mit Ottla reden kann, dennoch kommt er jetzt auf Hugo und Else Bergmann, die ihn eingeladen haben, mit ihnen nach Palästina zu gehen, nach Tel Aviv, wo es ebenfalls einen Strand gibt und lachende Kinder wie hier. Elli muss nicht viel dazu sagen, der Doktor weiß, was sie von solchen Plänen hält, im Grunde glaubt er selbst nicht daran. Aber die Kinder sind eine große Freude, er ist froh und dankbar, hier unter ihnen zu sein. Er kann sogar schlafen in all dem Trubel, in der größten Mittagshitze über eine Stunde, bevor ihn Gerti und Felix noch einmal ins Wasser holen.

Am zweiten Tag beginnt er, die ersten Gesichter zu unterscheiden. Seine Augen schweifen nicht mehr wahllos, er entwickelt Vorlieben, entdeckt ein paar lange Mädchenbeine, einen Mund, Haare, eine Bürste, die durch diese Haare fährt, ab und zu einen Blick, drüben die große Dunkle, die mehrmals herübersieht und dann so tut, als

14

sei sie's nicht gewesen. Zwei, drei Mädchen erkennt er an der Stimme, er beobachtet, wie sie weit vorn ins Wasser springen, wie sie durch den heißen Sand laufen, Hand in Hand, unter fortwährendem Gekicher. Er hat Schwierigkeiten mit ihrem Alter. Mal hält er sie für siebzehn, dann scheinen es doch noch Kinder zu sein, und eben dieses Changieren macht das Vergnügen, sich mit ihnen zu beschäftigen, aus.

Vor allem die große Dunkle hat es ihm angetan. Er könnte Gerti fragen, wie sie heißt, denn Gerti hat bereits mit ihr gesprochen, aber auf diese Weise möchte er sein Interesse nicht zeigen. Er würde sie gerne zum Lachen bringen, denn leider lacht sie nie. Sie wirkt trotzig, als würde sie sich seit Langem über etwas ärgern. Am späten Nachmittag sieht er sie vom Balkon, wie sie im Garten der Ferienkolonie den Tisch deckt, und dann, am Abend, wie sie in einem Theaterstück die weibliche Hauptrolle spielt. Was sie sagt, kann er nicht verstehen, aber er sieht, wie sie sich bewegt, mit welcher Hingabe sie spielt, offenbar in der Rolle einer Braut, die gegen ihren Willen verheiratet werden soll, so jedenfalls reimt er sich die Handlung zusammen, er hört das Lachen der Kinder, den Applaus, zu dem sich die Dunkle mehrfach verbeugt.

Noch als er Elli und den Kindern davon berichtet, ist er voller Wehmut. Vor dem Krieg hat er Leute vom Theater gekannt, den wilden Löwy, den sein Vater so verachtet hat, die jungen Schauspielerinnen, die ihren jiddischen Text kaum konnten, aber was lag in ihrem Spiel für eine Kraft, wie hatte er damals noch geglaubt.

Als Gerti das Mädchen am nächsten Vormittag zu seinem Strandkorb führt, sieht er es erstmals lächeln. Anfangs ist sie schüchtern, aber als er ihr sagt, dass er sie spielen gesehen hat, wird sie bald zutraulich. Er erfährt, dass sie

Tile heißt, macht ihr Komplimente. Wie eine richtige Schauspielerin habe sie ausgesehen, worauf sie erwidert, sie habe hoffentlich wie eine Braut ausgesehen, denn eine Schauspielerin habe sie nicht gespielt. Dem Doktor gefällt ihre Antwort, sie lachen und lernen sich näher kennen. Ja, sie sei aus Berlin, sagt sie, weiß auch, wer der Doktor ist, denn in der Buchhandlung, in der sie arbeitet, hat sie vor Wochen eines seiner Bücher ins Schaufenster gelegt. Mehr scheint sie von sich nicht preisgeben zu wollen, nicht solange Gerti dabeisteht, und so lädt sie der Doktor zu einem Spaziergang auf der Landungsbrücke ein. Sie möchte Tänzerin werden, stellt sich heraus, was auch der Grund für ihren Kummer ist, sie hat Ärger mit ihren Eltern, die es um jeden Preis verhindern wollen. Der Doktor weiß nicht recht, wie er sie trösten soll, der Beruf sei ebenso schön wie anspruchsvoll, aber wenn sie daran glaubt, wird sie eines Tages tanzen. Er meint sie zu sehen, wie sie über die Bühne fliegt, wie sie sich biegt, wie sie mit ihren Armen und Beinen fleht. Sie weiß es, seit sie acht ist, mit ihrem ganzen Körper. Der Doktor sagt lange nichts, während sie ihn erwartungsvoll anblickt, halb Kind, halb Frau.

Auch am nächsten Tag gehen sie spazieren und am übernächsten. Das Mädchen hat lange über die Worte des Doktors nachgedacht, ist sich aber nicht sicher, ob sie ihn richtig verstanden hat. Der Doktor ist im Nachhinein unzufrieden mit seiner Antwort, vielleicht ist es ja falsch, sie in ihrem Traum zu bestärken, vielleicht hat er kein Recht dazu. Er erzählt von seiner Arbeit in der Versicherungsanstalt, wie das so ist, in den Nächten, wenn er schreibt, allerdings schreibt er derzeit nicht. Auch in der Anstalt arbeitet er nicht mehr, er ist seit einem Jahr pensioniert, nur deshalb sitzt er hier, auf der Landungsbrücke mit einer hübschen Berlinerin, die in ein paar Jahren Tänzerin sein wird. Jetzt lächelt sie wieder und lädt den Doktor für morgen zum Essen ein, am Freitagabend gibt es im Ferienheim immer eine kleine Feier, die Betreuer hat sie vorhin gefragt. Er sagt sofort zu, auch weil es der Freitag ist, und so wird er mit seinen vierzig Jahren zum ersten Mal in seinem Leben einen Freitagabend feiern.

Schon am Nachmittag kann er vom Balkon aus die Vorbereitungen beobachten. Er hat sich auf sein Zimmer zurückgezogen und schreibt Postkarten, über das Meer und die Gespenster, denen er fürs Erste entlaufen zu sein scheint. Er schreibt an Robert und die Bergmanns, zum Teil mit denselben Formulierungen, sehr lange über die Kinder. Von Tile weiß er, dass das Ferienheim *Kinderglück* heißt, und also schreibt er: Um meine Transportabilität zu prüfen, habe ich mich nach vielen Jahren der Bettlägerigkeit und der Kopfschmerzen zu einer kleinen Reise nach der Ostsee erhoben. Ein Glück hatte ich dabei jedenfalls. 50 Schritte von meinem Balkon ist ein Ferienheim des Jüdischen Volksheims in Berlin. Durch die Bäume kann ich die Kinder spielen sehn. Fröhliche, gesunde, leidenschaftliche Kinder. Ostjuden, durch Westjuden vor der Berliner Gefahr gerettet. Die halben Tage und Nächte ist das Haus, der Wald und der Strand voll Gesang. Wenn ich unter ihnen bin, bin ich nicht glücklich, aber vor der Schwelle des Glücks.

Es bleibt noch Zeit für einen kleinen Spaziergang, dann macht er sich langsam für den Abend fertig, holt den dunklen Anzug aus dem Schrank, prüft vor dem Spiegel die Krawatte. Er ist neugierig, was ihn da drüben erwartet, auf den genauen Ablauf der Feier, die Lieder, die Gesichter, aber mehr ist da nicht, er erhofft sich nichts für sich.

2

DORA SITZT AM KÜCHENTISCH und nimmt gerade Fische für das Abendessen aus. Sie hat seit Tagen an ihn gedacht, und plötzlich ist er da, ausgerechnet Tile hat ihn gebracht, und er ist allein, ohne die Frau vom Strand. Er steht in der Tür und betrachtet erst die Fische, dann ihre Hände, mit einem leisen Tadel, wie sie glaubt, aber es ist ohne Zweifel der Mann vom Strand. Sie ist so überrascht, dass sie nicht genau hört, was er sagt, er sagt etwas zu ihren Händen, so zarte Hände, sagt er, und so blutige Arbeit müssen sie verrichten. Dabei sieht er sie voller Neugier an, staunend, dass sie da tut, was sie als Köchin eben tut. Leider bleibt er nicht lang, Tile möchte ihn weiter durchs Haus führen, einen Moment steht er noch am Tisch, dann ist er fort.

Kurze Zeit ist sie wie betäubt, hört von draußen die Stimmen, Tiles Lachen, sich entfernende Schritte. Sie fragt sich, was nun ist, stellt sich vor, wie er in Tiles Zimmer steht und nicht weiß, dass es auch Doras ist. Ob Tile ihm das sagt? Sie vermutet, eher nicht. Sie denkt an das erste Mal am Strand, als sie ihn entdeckte, mit dieser Frau und den drei Kindern. Auf die Frau hat sie nicht groß geachtet, sie hat nur Augen für den jungen Mann gehabt, wie er schwamm, wie er sich bewegte, wie er lesend im Strandkorb saß. Anfangs hat sie ihn wegen seiner dunklen Haut für einen Halbblut-Indianer gehalten. Er ist verheiratet, was erhoffst du dir, hat sie sich gesagt, aber trotzdem weiter gehofft. Einmal ist sie ihm und seiner Familie bis in den Ort gefolgt, sie hat von ihm geträumt, auch von Hans, aber an Hans denkt sie jetzt lieber nicht oder nur in dem ungefähren Sinne, dass sie es sollte.

Zwei Stunden später, beim Abendessen, trifft sie den Doktor wieder. Er sitzt weit weg, am Ende des Tisches neben Tile, die vor Stolz fast platzt, denn ohne Tile wäre er nicht gekommen. Seit zwei Tagen heißt es bei jeder Gelegenheit, der Doktor, der Doktor, er ist ein Schriftsteller, am Freitag werdet ihr ihn kennenlernen, und nun ist es niemand anders als der Mann vom Strand. Tile hat ihn soeben vorgestellt, es folgen die Segenssprüche, der Wein, die Verteilung des Brotes. Der Doktor wirkt, als wäre das meiste völlig neu für ihn, und schaut wieder und wieder zu ihr hin, während des ganzen Essens, mit diesem sehnsuchtsvollen Blick, den sie bereits zu kennen glaubt. Später, bevor er geht, kommt er zu ihr und fragt nach ihrem Namen; den seinen kenne sie ja schon, mit ihrem müsse sie ihm helfen. Er sieht sie mit seinen blauen Augen an, nickt und denkt über den Namen nach, offenbar gefällt er ihm. Sie sagt zu ihm, viel zu schnell: Ich habe Sie gesehen, am Strand, mit Ihrer Frau, obwohl sie doch weiß, dass das nicht seine Frau gewesen sein kann, denn warum wäre ihr sonst so leicht ums Herz, seit er bei ihr in der Küche gestanden hat? Der Doktor lacht und bestätigt, dass es seine Schwester ist. Auch die Kinder sind von seiner Schwester, er hat noch eine zweite, Valli mit ihrem Mann Josef, die ihr vielleicht schon aufgefallen sind. Er fragt, wann er sie wiedersehen darf. Ich würde Sie gerne wiedersehen, sagt er, oder: Ich hoffe, wir sehen uns wieder, und sie sagt sofort Ja, aber gern, denn wiedersehen möchte sie ihn auch. Morgen?, fragt sie, und eigentlich möchte sie rufen, wenn Sie wach sind, wann immer Sie wollen. Er schlägt vor, am Strand, nach dem Frühstück, wenngleich sie ihn lieber für sich allein in der Küche gehabt hätte. Auch Tile lädt er ein. Sie hat gar nicht gewusst, dass es Tile noch gibt, aber leider, sie ist da, man sieht, wie verliebt sie in den Doktor ist, und dabei ist sie erst siebzehn und hat mit Männern gewiss so gut wie keine Erfahrung.

Dora hat das Mädchen von Anfang an gemocht, denn es ist ein bisschen wie sie, es muss immer gleich sagen, was ihm durch den Kopf geht. Tile ist nicht unbedingt hübsch, aber man merkt, dass sie voller Leben ist, sie mag ihren Körper, die langen schlanken Beine, richtig wie eine Tänzerin. Dora hat sie schon tanzen sehen, und wie sie weint und dann von einer Sekunde auf die andere lacht, wie das Wetter im April.

Bis weit nach Mitternacht hat ihr Tile den Besuch des Doktors nachbuchstabiert, was er genau gesagt hat, über das Haus, das Essen, die feierliche Stimmung, dass alle so fröhlich waren. Dora äußert sich nicht dazu, sie hat ihre eigenen Beobachtungen, denen sie nachspürt und sich auf die eine oder andere Weise überlässt, als wären dieser Mann und die wenigen Augenblicke, die sie in seiner Nähe war, etwas, dem man sich überlassen muss. Noch als Tile längst schläft, beginnt sich etwas in ihr auszubreiten, ein Ton oder ein Duft, etwas, das am Anfang beinahe nichts ist und dann fast dröhnend von ihr Besitz ergreift.

Am nächsten Vormittag am Strand gibt er ihr zur Begrüßung die Hand. Er hat auf sie gewartet und findet, dass sie müde aussieht. Was ist?, scheint er zu sagen. Und weil da Tile ist und seine Nichte Gerti, lächelt sie ihn nur irgendwie an, sagt etwas zum Meer, zum Licht, wie es um sie steht, jetzt, in diesem Licht, obwohl sie nur ein paar Sätze miteinander gesprochen haben, aber mit diesen Sätzen, Blicken muss sie jetzt leben. Ins Wasser will er offenbar nicht; Tile möchte, und so haben sie ein paar Minuten. Drüben, die Schwester hat sie bereits entdeckt, wie konnte sie nur glauben, dass das seine Frau ist.

Und jetzt reden sie und vergessen, dass sie reden, denn kaum hat einer etwas gesagt, ist es gleich weg, sie sitzen da am Strand wie unter einer Glocke, die jeden Laut sofort verschluckt. Der Doktor stellt ihr tausend Fragen, woher sie kommt, wie sie lebt, er schaut auf ihren Mund, immerzu auf ihren Mund, flüstert etwas zu ihrem Haar, ihrer Gestalt, was er gesehen hat, was er sieht, alles ohne ein einziges Wort. Jetzt redet sie über ihren Vater, wie sie fortgelaufen ist, erst nach Krakau und dann weiter nach Breslau, als wäre sie nur fort, um eines Tages hier bei diesem Mann zu sein. Sie redet von ihren ersten Wochen in Berlin, weiß sie nachher noch, und wie es plötzlich aufhört, weil Tile kommt; nur weil Tile kommt und sie von hinten mit ihren nassen Händen erschreckt, fällt ihr ein, dass sie zurück in die Küche muss. Der Doktor steht sofort auf und fragt, ob er sie begleiten darf, leider will auch Tile mit, aber dafür lädt sie ihn erneut zum Abendessen ein.

Fische gibt es heute nicht, diesmal sitzt sie vor einer Schüssel Bohnen. Sie hat gehofft, dass er kommt. Oh, wie schön, so früh, setzen Sie sich doch, ich freu mich, sagt sie. Der Doktor beobachtet sie bei der Arbeit, eine ganze Weile, er sagt, dass er sie gerne anschaut, ob ihr das aufgefallen sei. Sicher werde sie auch in Berlin sehr viel angeschaut, und aus einem ungenauen Grund kann sie sagen: Ja, dauernd, auf der Straße, in der Bahn, im Restaurant, falls sie mal im Restaurant ist, womit sie nicht sagen will, dass es dann so ist, wie wenn der Doktor sie anschaut. Und damit sind sie in Berlin. Der Doktor liebt Berlin, kennt sogar das Jüdische Volksheim und möchte wissen, wie sie dort Köchin geworden ist, und später möchte er, dass sie etwas auf Hebräisch sagt, das zu lernen er sich in den letzten Jahren bemüht habe bei einer Lehrerin namens Puah, leider ohne großen Erfolg. Sie muss kurz überlegen, ehe sie sich wünscht, beim Essen neben ihm zu sitzen, und er antwortet, nicht ganz fehlerfrei auf Hebräisch, er habe die halbe Nacht darüber nachgedacht, und dazu verbeugt er sich und nimmt ihre Hand und küsst sie auch, halb im Scherz, damit sie nicht erschrickt. Trotzdem erschrickt sie. Auch später beim Kartoffelschälen, als er wie zufällig ihre Hand berührt, erschrickt sie, weniger über ihn als über sich selbst, wie wild und ausgeliefert sie sich fühlt, als gäbe es nicht die geringste Bedingung.

Nach dem Abendessen am Sonntag gehen sie spazieren. Sie haben sich richtig verabredet, in einem unbeobachteten Moment am Strand, weil sie Tile nicht kränken wollen, die weiter so tut, als gehöre der Doktor ihr. Nachmittags, als sie alle ins Wasser gehen, ertappt sich Dora, wie sie sich mit Tile vergleicht. Tile rennt einfach los, mit ihren langen Beinen durchs flache Wasser, dass es nur so spritzt, aber der Doktor, der ihr noch schmaler und zarter vorkommt, sieht gar nicht richtig hin. Auch zu Dora sieht er nur kurz hin, aber sie meint zu spüren, wie er sie mustert, Arme, Beine, Becken, den Busen, ja, und es ist ihr recht, dass er alles bemerkt und es zusammenzieht zu einem Bild, weniger fragend als bestätigend, als hätte er das meiste längst gewusst. Das Wasser ist warm und flach, eine Weile zögern sie, hineinzugehen, Tile wird bereits ungeduldig, hoffentlich hat sie die Szene nicht beobachtet.

Die Schwester ist eher höflich als freundlich, als der Doktor sie am Vormittag einander vorstellt. Von seinen Erzählungen kennt man sich ja schon. Elli weiß, dass Dora Köchin ist und drüben im Ferienheim das beste Essen von Müritz kocht, und Dora weiß, dass sie den Doktor ohne Elli nicht kennen würde. Sie mag, wie sie über ihn spricht, ihr Bruder, sagt sie, sei leider ein schlechter Esser, nur mit viel Geduld und Liebe lasse er sich hin und wieder überreden.

Für den Spaziergang hat Dora das dunkelgrüne Strandkleid angezogen. Es ist nach neun und noch ziemlich hell, und es ist eine Freude, so neben ihm zu gehen und zu spüren, dass er sich nicht weniger freut. Sie könnten sich vorne auf der ersten Landungsbrücke auf eine der Bänke setzen und den Leuten beim Flanieren zuschauen, aber der Doktor will weiter zur zweiten. Dora hat die Schuhe ausgezogen, denn sie geht gern im Sand, der Doktor bietet ihr den Arm an, und da sind sie wieder in Berlin. Der Doktor kennt Berlin aus den Jahren vor dem Krieg, sie ist überrascht, wie viel er weiß, er nennt ein paar Orte, die wichtig für ihn gewesen sind, den Askanischen Hof, in dem er einst einen furchtbaren Nachmittag erlebt habe, trotzdem möchte er seit Jahren nach Berlin. Ja, wirklich?, sagt sie, die eher zufällig in die Stadt gekommen ist, drei Jahre ist das her. Er fragt sie, in welcher Gegend sie wohnt, wie es dort ist, die seltsamsten Dinge will er wissen, die Preise für Brot und Milch und die Heizung, die Stimmung auf der Straße, fünf Jahre nach dem Ende des Krieges. Ruppig und hektisch ist Berlin und voller Flüchtlinge aus dem Osten, erzählt sie, das Viertel, in dem sie lebt, ist voll davon, überall singende, zerlumpte Familien, die aus dem schrecklichen Osten stammen.

Der Strandspaziergang ist inzwischen zu Ende, sie sitzen auf einer schmalen Bank, im vorderen Drittel der zweiten Landungsbrücke unter dem trüben Licht einer Laterne. Sie sind noch immer bei Berlin, der Doktor erzählt von seinem Freund Max, der eine Geliebte namens Emmy dort hat. Jetzt muss sie leider ein paar Sätze über Hans sagen, wenigstens erwähnen muss sie ihn, zumal der

Doktor von einer Verlobten spricht, aber das ist hundert Jahre her. Alles ist hundert Jahre her. Der Doktor beginnt zu träumen, wie das wäre, wenn er nach Berlin käme, worauf sie erwidert, das wäre doch sehr schön, denn dann könnte sie ihm alles zeigen, die Theater, die Varietés, das Gewusel am Alexanderplatz, obwohl es auch stille Ecken gibt, weiter draußen, in Steglitz oder am Müggelsee, wo die Stadt sich mit dem Land berührt. Wer hätte das gedacht, sagt der Doktor, ich reise an die Ostsee und lande in Berlin. Er sei sehr froh, hier mit ihr zu sitzen, sagt er. Das ist sie auch.

Die Brücke hat sich nach und nach geleert, es muss bald Mitternacht sein, nur hie und da ein Paar ist zu sehen, die schlafenden Möwen auf den Bohlen und weiter weg die Lichter von den Hotels. Ein leichter Wind ist aufgekommen, der Doktor fragt, ob ihr kalt ist, ob sie gehen will, aber sie möchte noch bleiben, er soll ihr erzählen von der Verlobten oder von diesem Nachmittag, falls das nicht dasselbe ist, und der Doktor sagt, dass es praktisch dasselbe ist.

In der Nacht liegt sie lange wach. Gegen halb zwei hat er sie nach Hause gebracht, kurz danach hat es zu gewittern begonnen, man hat den Eindruck, direkt über dem Heim, denn zwischen Blitz und Donner vergehen nur Sekunden. Das halbe Haus scheint wach zu sein, auch Tile in ihrem Bett, die sofort fragt, wo sie gewesen ist. Hast du ihn getroffen? Dora antwortet, ja, wir sind ein bisschen spazieren gegangen, und jetzt dieses Getöse. Sie warten, bis das Gewitter weiterzieht, draußen ist es merklich kühler geworden, Dora hat das Fenster aufgemacht und nach drüben zu seinem Balkon geschaut, aber dort ist alles dunkel.

Es regnet bis zum nächsten Morgen und dann weiter bis

zum Abend, der Doktor kommt erst am Nachmittag, aber jetzt ist es beinahe schon eine Gewohnheit, dass er da sitzt und sie ausfragt, als würden ihm die Fragen nie ausgehen. Sie mag die Förmlichkeit des *Sie*, das nur eine Fassade ist, wie sie weiß, eine vorübergehende Verkleidung, die sie eines Tages ablegen werden. Sie kann sagen: Ich habe an Sie gedacht, heute beim Frühstück haben wir über Sie gesprochen, denken Sie noch an Berlin? Sie denkt un-unterbrochen daran. Manchmal muss sie sich ermahnen, weil es doch nur Träume sind, sogar in ihr Zimmer in der Münzstraße hat sie ihn in Gedanken bereits geführt, obwohl ihr an dem Zimmer nichts liegt, es hat kein flie-ßendes Wasser, im Grunde ist es nur eine Kammer mit Schrank und Bett, in einem dunklen Hinterhof.

Sie hält ihn für Mitte dreißig, was bedeutet, dass er etwa zehn Jahre älter sein müsste als sie. Er ist nicht gesund, hat er gesagt, die Spitzen seiner Lungen haben sich erkäl-tet, deshalb das Meer und das Hotel im Wald; nur weil er seit Jahren nicht gesund ist, hat sie ihn getroffen.

Es ist sein Mund, das Reden, das wie ein Bad ist, wie er sie in Ruhe durchdringt. Kein Mann zuvor hat sie so an-geschaut, er sieht das Fleisch, unter der Haut das Beben, das Zittern, und alles ist ihr recht.

Einmal ist sie sehr glücklich, als er von einem Traum er-zählt. In diesem Traum fährt er nach Berlin, er sitzt seit Stunden im Zug, aber aus irgendwelchen Gründen geht es nicht voran, zu seiner Verzweiflung bleiben sie dauernd stehen, er wird nicht rechtzeitig da sein, dabei wird er am Bahnhof erwartet, abends um acht, und jetzt ist es sie-ben und er hat nicht mal die Grenze passiert. Das ist der Traum. Auch Dora hat gelegentlich so geträumt und findet das Wichtigste, dass er erwartet wird. Ihr würde das Warten nichts ausmachen, sagt sie, dann säße sie eben die halbe Nacht auf einer Bank. Der Doktor sagt: Ja, meinen Sie? Bis gestern hat er Fräulein zu ihr gesagt, das mochte sie, aber jetzt nennt er sie bloß noch Dora, denn Dora kommt von Geschenk, er müsste es sich nur nehmen, sie wartet darauf.

3

AM MEISTEN ÜBERRASCHT DEN DOKTOR, dass er schläft. Er ist dabei, sich in ein neues Leben zu stürzen, er müsste sich fürchten, er müsste zweifeln, aber er schläft, die Gespenster lassen sich nicht blicken, obwohl er sie immerzu erwartet, in seinem Kopf die alten Schlachten. Aber diesmal scheint es keine Schlacht zu geben, es gibt das Wunder, und es gibt den Plan, der aus diesem Wunder folgt. Er denkt nicht viel an sie, er atmet sie ein und wieder aus, an den Nachmittagen in der Küche, wenn sie in Gedanken durch Berlin spazieren, beim Essen, wenn ein Duft von ihr herüberweht. Abends, im Bett, beschäftigt er sich ab und zu mit einem Satz, mit einem Stück Haut, dem Saum ihres Rockes, wie sie beim Essen die Gabel hielt, gestern, als er sie nach ihrem Vater gefragt hat, der ein strenggläubiger Jude ist und mit dem sie seit Langem im Zerwürfnis lebt. In seinen Träumen taucht sie vorläufig nicht auf. Aber er verliert sie nicht im Schlaf, weiß am Morgen sofort, dass sie irgendwo ist, als wäre da zwischen ihm und ihr ein Seil, an dem sie sich langsam zueinander hin ziehen. Er hat sie bisher kaum berührt, aber nicht nur am Rande weiß er, der Tag wird kommen, an dem er sie berühren wird, doch er hasst sich nicht dafür, fast als wäre es sein Recht und der Schrecken ein überwundener Aberglaube.

Seit einer Woche treffen sie sich jeden Tag. Seine Schwestern und die Kinder sieht er vorwiegend zum

Frühstück, erst gestern hat er sich anhören müssen, dass er zu wenig Zeit für sie hat. Elli hat das gesagt, aber als wäre sie in Wahrheit sehr einverstanden mit ihm und dieser Dora, und dass er da also eine Beschäftigung hat in diesem verschlafenen Müritz und seine Nächte nicht mit seinen komischen Geschichten verbringt. Über seine Arbeit hat der Doktor nie gern gesprochen. Würde sie danach fragen, würde er antworten, dass er nicht mal Briefe schreibt, auch nicht an Max, dem er immerhin mitteilen könnte, dass er überlegt, nach Berlin zu gehen. Aber dazu ist die Möglichkeit zu zart, mehr ein Hauch als ein Gedanke, etwas, das sich in Worte kaum fassen lässt und durch einen einzigen falschen Satz, so fürchtet er, vertrieben würde.

Max würde gefallen, dass sie aus dem Osten ist. Seit die Städte voll mit Flüchtlingen sind, reden alle vom Osten, auch Max, der sich Rettung für alle Juden von dort erhofft, aber es gibt keine Rettung, auch nicht aus dem Osten.

Wer aus dem Osten ist, hat von heute auf morgen sein Leben hinter sich gelassen, deshalb ist Dora sehr viel freier als er, entrissener und darum zugleich gebundener, jemand, der weiß, wo seine Wurzeln sind, gerade weil er sie gekappt hat. Sie kommt dem Doktor nicht dunkel vor, wie Max wahrscheinlich behaupten würde, als wäre sie einem Roman von Dostojewski entsprungen. Auch Emmy ist alles andere als dunkel, denn die Geliebte von Max ist eine waschechte Berlinerin, blond und blauäugig, und das einzige Geheimnis, das sie hat, ist ihre Verbindung zu Max, der durch sie erst erfahren haben will, was körperliche Erfüllung ist. Gegenüber dem Doktor hat er sich bereits mehrfach in diese Richtung geäußert, zum Glück ohne ins Detail zu gehen, aber Max ist sein Freund, er ist verheiratet, die bezaubernde Emmy hat ihn, wie es scheint, ein wenig aus der Bahn geworfen. Zum Glück leben sie nicht in derselben Stadt, was natürlich ebenso ein Pech ist, jedenfalls für Emmy, die sich darüber beklagt, dass sie sich viel zu selten sehen. Auch beim Doktor hat sie sich beklagt, er hat sie auf der Hinfahrt in ihrem Zimmer am Zoologischen Garten besucht und sie darum gebeten, sich in die Lage von Max zu versetzen.

Dora lacht über solche Geschichten. Sie sitzen am Strand und erzählen sich Geschichten vom Warten. Auch der Doktor hat sein halbes Leben gewartet, zumindest ist das im Nachhinein sein Gefühl, man wartet und glaubt nicht daran, dass noch jemand kommt, und auf einmal ist genau das geschehen.

Am nächsten Vormittag regnet es in Strömen. Der Doktor steht auf dem Balkon und beobachtet in der Kolonie ein großes Hin und Her, denn heute reist die Hälfte der Kinder zurück nach Berlin. Es ist Sonntag, auch Tile muss zurück, gegen elf steht sie im Regenmantel in der Empfangshalle und kämpft mit den Tränen. Der Doktor hat ihr zum Abschied ein Geschenk gekauft, eine rubinrote Schale, die sie vor Tagen in einem Schaufenster entdeckt hat. Sie hat von dieser Schale oft gesprochen, deshalb kann sie es vor Freude kaum fassen. Wir sehen uns in Berlin, verspricht der Doktor, womit er nur sagt, dass er sie auf der Rückreise in ihrer Buchhandlung besuchen wird. Trotzdem weint sie jetzt. Der Doktor fragt, aber warum, und sie schüttelt den Kopf und behauptet, weil sie sich freut. Hat er die Adresse? Der Doktor nickt, er hat alles notiert, er wird ihr schreiben, sobald er weiß, wann genau er kommt, denn wenn es weiter so regnet, werden seine Schwestern bald nach Hause wollen. Jetzt wird der Abschied doch sehr lang. Tile streichelt die rote Schale, der Doktor macht ihr noch einmal Mut wegen ihrer Eltern, bei denen neuerlich zu leben sie sich nicht vorstellen mag, aber der Doktor sagt, du musst, denk an deine Tanzschuhe, du hast es versprochen.

Fast ist er erleichtert, dass sie weg ist. Er würde das vor Dora nicht aussprechen, aber auch Dora wirkt erleichtert, obwohl sie das Fehlen Tiles sofort bemerken. Solange es das Mädchen gab, fühlten sie sich beobachtet, sie waren nicht frei, aber auch unbekümmerter.

Sie haben sich trotz des schlechten Wetters zu einem Spaziergang verabredet. Dora hat gesagt, dass sie ihn abholt gegen zehn, der Doktor ist auf seinem Zimmer und liest, und dann kommt sie über eine halbe Stunde zu früh. Sie ist durch den Regen gelaufen, das schwere Haar, das Gesicht, alles ist nass. Einen Moment ist sie dem Doktor fremd, aber das ist, weil sie in seinem Zimmer ist. Hier also wohnen Sie, sagt sie, noch halb in der Tür; sie hofft, sie stört ihn nicht. Für das Zimmer hat sie keinen Blick, sie steht nur da und lächelt, schaut ihn an, der Doktor müsste nur noch seinen Mantel holen, aber stattdessen, ohne jede Vorwarnung, umarmt er sie. Es ist mehr ein Hinüberbeugen, fast ein Gleiten, er küsst ihr Haare und Stirn, und dazu flüstert er, selbst die Küsse sind mehr oder weniger geflüstert, er ist voller Freude. Seit er sie in der Küche entdeckt hat, ist er voller Freude. Ja, sagt sie. Sie lehnt noch immer in der Tür, als würde sie weiter warten, dass sie aufbrechen, sein Mantel hängt da drüben im Schrank, er müsste ihn nur holen, doch er holt ihn nicht. Er redet von Berlin; wenn sie will, kommt er noch in diesem Sommer nach Berlin. Hat er das wirklich gesagt? Sie nickt, sie küsst seine Hand, vorne die Kuppen der Finger, aber dann muss sie endlich diesen dummen Mantel ausziehen. Sie scheint zu frieren, das Zimmer ist nicht gut geheizt, sie trägt ein Kleid, das er nicht kennt und in dem sie nur frieren kann. Geh nicht weg, sagt sie, als er wegen ihres Mantels kurz wegwill, und dann stehen sie lange da, etwas schief, irgendwie umschlungen, Becken an Becken, wie ein Paar. Sie hat sich sofort nach ihm gesehnt, sagt sie, damals am Strand, obwohl sie nicht daran geglaubt hat. Jetzt glaubt sie daran. Kann man Küssen glauben? Sie will wissen, was er denkt, jetzt, in diesem Moment, ob er daran gedacht hat. Nein, sag es nicht, flüstert sie, wobei nicht klar ist, warum sie eigentlich flüstern. Dora ist zum Balkon gegangen und schüttelt den Kopf über das Wetter, was das Wetter angeht, haben sie großes Pech. Jetzt sitzt sie auf dem Sofa neben der Balkontür, wo er gelegentlich liest, der Doktor macht eine Bemerkung zu ihrem Kleid, sie hat es aus Berlin, was ihn daran erinnert, dass es für Dora eine Zeit vor diesem Sommer gegeben hat und was er von dieser Zeit eigentlich wissen will. Es fällt ihm auf, wie jung sie ist, sie hat das Leben noch vor sich, denkt er, mit welchem Recht also greift er danach.

In der Nacht kommen die Zweifel. Es ist kein Kampf, wie er ihn kennt, und doch liegt er bis zum frühen Morgen wach, die Stunden sind lang, an Schlaf ist nicht zu denken. Dabei gehen die Gedanken langsam durch ihn hindurch, er kann sie sich in Ruhe ansehen, ohne großes Gefühl, wie er mit Erstaunen feststellt, wie ein Buchhalter, der Bilanz zieht und an den Zahlen nicht zweifelt. Die Reihenfolge ist egal, er nimmt die Fragen, wie sie kommen, geht sie nacheinander durch und noch einmal. Er ist krank, er ist fünfzehn Jahre älter als sie, trotzdem könnte er versuchen, mit ihr zu leben, in Berlin, da sie zum Glück aus Berlin ist, denn in eine andere Stadt hat es ihn nie gezogen. Das sind die Umstände, die er halbwegs glücklich nennt, die Küsse am Vormittag nicht gerechnet. Alles andere spricht dagegen: Er hat in den Tagen hier am

Meer kaum zugenommen, er fühlt sich schwach, er weiß nicht, wie er es den Eltern erklären soll, dass da jemand ist, eine junge Frau ausgerechnet aus dem Osten, den der Vater so verachtet. Soll er vor ihn hintreten und sagen, ich habe sie dort in Müritz kennengelernt und gehe zu ihr nach Berlin? Er legt sich verschiedene Anfänge zurecht, versucht es erst mit der Mutter, dann mit dem Vater. Er fragt sich, was so schwierig daran ist, und schließlich ist er fast beruhigt, fängt noch einmal von vorne an, ob er nichts übersehen hat, die Lage in Berlin, die Zimmerfrage, und wieder: seine Kräfte, den Mangel an Tatkraft, den er sich seit Jahren vorwirft, ohne jedes Ergebnis.

Er berichtet Robert von dieser Nacht, nicht so sehr, weil er an die Nacht glaubt, sondern weil es seit Langem eine Art Brauch zwischen ihnen ist, sich über ihre Nächte zu beklagen. Vor zwei Jahren im Sanatorium, als sie sich kennenlernten, haben sie oft davon gesprochen, in eine andere Stadt zu gehen. Darauf kommt der Doktor jetzt zurück, sie müssten beide schnell weg, spätestens nächstes Jahr, zum Beispiel in die schmutzigen Berliner Judengassen, in denen Dora lebt, wenngleich er Dora mit keinem Wort erwähnt.

Für den Nachmittag haben sie sich verabredet, um den verpassten Spaziergang nachzuholen. Diesmal wartet sie auf ihn, wieder in diesem Mantel, ein wenig zögerlich, als ob sie die schlechte Nacht auf Anhieb erraten könnte. Sie blickt ihn fragend an, aber er tut, als wäre nichts, nimmt zum ersten Mal ihre Hand, die sich klein und trocken anfühlt. Kaum sind sie ein paar Schritte gegangen, sind sie da, wo sie tags zuvor in seinem Zimmer gewesen sind, immer noch in diesem Flüsterton, während um sie herum der Regen durch Kiefern und Birken rauscht. Der Doktor deutet an, wie verwirrt er seit gestern ist, alles ist auf eine bestürzende Art neu, alles ist in Bewegung. Er möchte, dass sie sich in ihm nicht täuscht, dass sie ihn richtig einschätzt, auch sich selbst, damit sie später nichts bereut. Sie sagt, sie wüsste nicht, was. Bereuen? Der Doktor weiß nicht, wie er es formulieren soll. Er ist ein kranker Mann, er ist seit einem Jahr pensioniert. Er hat seltsame Gewohnheiten. Damit sie in etwa weiß, wie es um ihn steht, spricht er von seiner Tuberkulose, nur damit sie erkennt, worauf sie sich einlässt, denn so hat er sie gestern verstanden, so versteht er selbst es. Dass er krank ist, ist ihr egal. Nicht egal. Ich will nur sein, wo du bist, der Rest wird sich finden. Er hört vor allem das Wir, wie es klingt, sanft und bestimmt, als könne ihnen nun nicht mehr viel geschehen. Über die Zimmerfrage hat sie schon nachgedacht. Sie kennt Leute, die sie fragen kann, wenn er möchte, schreibt sie noch heute nach Berlin. Willst du das? Sie erwähnt ein paar Namen, die ihm nichts sagen, auf dem Weg zum Strand, dem letzten Stück, bevor sie den Wald verlassen, beide fröstelnd, obwohl der Regen merklich nachgelassen hat. Warte, sagt sie. Soll ich? Sie meint die Zimmerfrage, aber vielleicht noch etwas anderes, der Doktor sagt, ja, bitte schreib, und welcher Himmel bloß so gütig gewesen sei, sie ihm zu schicken, das möchte er gerne wissen.

Abends im Zimmer versucht der Doktor zu rekapitulieren, was sie genau geredet haben, aber eigentlich hat er nur ihre Stimme, das Schweigen, das allerdings vorkommt und nicht unangenehm ist, wenn sie nur laufen und das Reden einfach weitergeht. Mehr weiß er nicht. Er ist halbwegs ruhig, alles nimmt seinen Lauf, als müsse er gar nichts tun. Nur Else Bergmann wegen der Reise nach Palästina muss er endlich schreiben, da es eine solche Reise ja gewiss nicht geben wird. Sie wird nicht allzu überrascht sein, dass er nicht fährt, trotzdem muss er sich erklären, es kostet ihn Überwindung, ihr zu schreiben und so zu tun, als wäre es ihm am Ende nicht recht, obwohl er genau das schreibt.

4

Es DAUERT EINE WEILE, bis sie begreift, was er von ihr
will. Warum er zögert, sie zu berühren, da sie doch nichts
lieber möchte als das, wenn er sie abholt zum Spazieren-
gehen, denn jetzt gehen sie fast jeden Tag spazieren. Es ist
weiter ziemlich kühl, aber es regnet nicht mehr, es gibt sogar Sonne, sie haben Zeit, sie können richtig lange gehen,
Hand in Hand, aber, was Dora betrifft, noch immer mit
diesem Zittern, als könne sie ihn von einer Sekunde auf
die andere verlieren. Manches versteht sie nicht an ihm,
wenn er sie fragt, ob es ihr ernst ist, wenn er sich schlecht-
macht vor ihr. Möchtest du die Wahrheit wissen, kann er
zum Beispiel sagen, und dass er sie nur abschrecken kann
vor ihm, und dann lacht sie ihn aus und hört ihm zu, als
rede er über einen Mann, den sie nicht kennt.

Sie sitzen auf einer Bank, mitten im Wald, und leicht
macht er es sich nicht. Er stellt sich vor, sie und er in Berlin, ein Zimmer vorausgesetzt, wie das wäre. Er möchte,
dass sie so viel wie möglich in seiner Nähe ist, aber er
muss auch allein sein, vor allem wenn er schreibt. Er gehe
viel spazieren, stundenlang durch die Stadt, denn beim
Gehen entstehen die Bilder, sagt er, Satz für Satz, sodass
er es später nur aufschreiben muss. Er schreibt nur nachts.
Ich bin unausstehlich, wenn ich schreibe. Aber jetzt lacht
er. Sehr furchterregend, findet sie, klingt das Bekenntnis
nicht. Es ist ihr fremd, aber es bedroht sie nicht. Wovor
also fürchtet er sich? Vor mir? Fürchtest du dich vor mir?

Dass ich dich störe? Wenn ich dich störe, sagt sie, gehe ich weg, bis du mir ein Zeichen gibst, dass ich wiederkommen darf. Halb meint sie es als Scherz, aber er wirkt erleichtert. Er hat seit Wochen kaum geschrieben, vielleicht ist er mit seinem Schreiben ja am Ende, aber so, wie er es sagt, scheint er nicht daran zu glauben. Ja, verstehst du? Sie ist sich nicht sicher, ob sie versteht, doch jetzt küsst er sie. Er wünscht sich eine Unterkunft im Grünen, und sie sagt Ja und noch einmal Ja, mitten im Wald auf dieser Bank. Manchmal glaube ich mir dich gar nicht, sagt er.

Er hat einen neuen Anzug an, dunkelblau, fast schwarz, mit feinen weißen Streifen, dazu ein weißes Hemd, Weste, eine Krawatte, die sie bereits kennt.

Sie schreibt an ihren Freund Georg und dann an Hans, von dem zwei Postkarten gekommen sind, krakelige Botschaften, auf die sie keine Antwort weiß. Zwischen den Zeilen hat er sie wissen lassen, dass er sie vermisst, er hat ihr keine Vorwürfe gemacht, aber eben deshalb hat sie Bedenken, ihn zu bitten. Seit sie den Doktor kennt, sieht sie Hans mit anderen Augen, als wäre er geschrumpft, jemand, den man nicht allzu ernst nehmen kann als Mann, weil er wie sie erst Mitte zwanzig ist. Trotzdem muss sie ihm schreiben, sein Vater ist Architekt, er hat Verbindungen, diese Verbindungen brauchen sie jetzt. Der Doktor ist der Doktor, eine Bekanntschaft am Strand, der sie einen Gefallen tut. Sie klingt ein wenig förmlich, hat sie das Gefühl. Im September sei sie wieder in Berlin, kündigt sie an, ich hoffe, es geht dir gut, was sich nun fast so anhört, als habe sie nicht viel damit zu tun, wie es ihm geht. Schuldig ist sie ihm, genau betrachtet, nichts. Sie sind zwei-, dreimal ins Kino gegangen, aber sonst war da nichts, jedenfalls nicht für sie. Sie ist froh, dass der Doktor nie nach ihm gefragt hat, es hätte sie verlegen gemacht, als könne man sich für einen wie Hans nur schämen. Später, am Nachmittag, wollen sie wieder spazieren gehen, der Doktor hat den Kindern im Ort ein Eis versprochen, deshalb wird es eventuell später.

Gestern, auf dem Rückweg, hat er ihr gesagt, dass er alleine nicht leben könnte in Berlin; nur weil er Dora getroffen hat, kann er an Berlin überhaupt denken. Er kann zum Beispiel nicht kochen. Ob sie kochen würde für ihn in Berlin? Wie ein dummer Schuljunge hat er das gefragt. Er könne das nicht von ihr verlangen. Sie hat ihn umarmt und geküsst und gesagt, wie glücklich er sie macht, obwohl ihr in den letzten Tagen aufgefallen ist, dass er ihr Essen kaum anrührt. Er hat abgenommen, seit sie ihn kennt, und jetzt möchte er, dass sie in Berlin für ihn kocht.

Auch Elli sagt, dass ihr der Bruder nicht gefällt, er verliert nicht nur Gewicht, sondern hat fast jeden Morgen Temperatur, das kalte Wetter tue leider das Übrige. Sie haben sich kurz in der Empfangshalle getroffen. Dora hat die Worte der Schwester als versteckten Vorwurf aufgefasst, als wäre es längst an ihr, dafür zu sorgen, dass der Doktor zu Kräften kommt. Abends bei Tisch mit den neuen Kindern lässt er den Großteil stehen oder behauptet, auf seinem Zimmer gegessen zu haben. Sei mir nicht böse, sagt sein Blick, aber wenn sie darüber nachdenkt, klingt es wie: Das verstehst du nicht, es gibt so vieles, was du nicht verstehst, trotzdem bist du mir lieb.

Du bist meine Rettung, sagt er. Dabei habe ich an Rettung nicht mehr geglaubt.

Wenn man durch Glück umkommen kann, dann muss es mir zweifellos geschehen, und kann man durch Glück am Leben bleiben, dann werde ich am Leben bleiben.

Vor dem Einschlafen, wenn sie an ihn denkt, freut sie sich am meisten, dass er *du* sagt, dass er nicht müde wird, sie zu preisen, als wüsste sie selbst am wenigsten, wer sie ist. Habe ich schon etwas zu deinem Kleid gesagt, kann er etwa sagen, und ein paar Sätze später: Komm, lies mir etwas vor, denn wenn sie nicht spazieren gehen, muss sie ihm vorlesen auf Hebräisch. Aus Jesaja hat sie bereits gelesen, er mag am liebsten die Propheten. Ich könnte stundenlang hier sitzen und dir zuhören, sagt er. Oder er sagt: Ich möchte meinen Kopf in deinen Schoß legen, sobald ich den Mut habe, frage ich dich.

Das Wetter ist weiterhin eine Katastrophe. Solange sie mit ihm in der Küche sitzen kann, ist ihr das egal, aber jetzt gibt es auf einmal Pläne, dass er und seine Schwestern Müritz verlassen. Ellis Mann Karl ist gekommen. Man hat sich lange beraten, gleich beim ersten Frühstück, dass der Doktor nicht isst und so wenig wiegt wie nie zuvor. Am Nachmittag erzählt er ihr davon. Valli habe die Idee mit der Abreise ins Spiel gebracht, sogar die Kinder hätten nicht groß widersprochen; seit sie nicht mehr ins Meer können, seien sie unausstehlich. Er wirkt nicht glücklich angesichts der neuen Perspektiven, behauptet mit keinem Wort, dass die Abreise feststeht, aber früher oder später werden sie natürlich fahren, was leider bedeutet, dass auch er fahre, denn allein, ohne die Schwestern, könne er nun einmal nicht bleiben.

Anfangs möchte sie es nicht glauben. Aber warum, fragt sie. Und was heißt allein? Bist du etwa allein? Sie hat noch gar nicht von ihm gekostet, will sie sagen, außerdem hatten sie immer nur ein paar Stunden, und sie selbst kann hier leider nicht weg, denn könnte sie von hier weg, würde sie nicht zögern, ihm zu folgen. Der Doktor versucht sie zu beschwichtigen, noch sei über eine Abreise nicht entschieden, wenngleich er zugeben muss, dass der Gewichtsverlust nicht unerheblich ist, vielleicht finde sich für die nächsten Wochen ein günstigerer Ort.

Sie stehen oben in seinem Zimmer, sie kann ihn kaum ansehen, jetzt, da sie begreift, dass es nur noch wenige Tage sind. Es fällt ihr auf, dass sie an eine Abreise nie geglaubt hat. Sie hat gedacht, wenn die Ferien zu Ende sind, fahren sie ohne Umweg nach Berlin. Nun ist es an ihr, den Plan infrage zu stellen. Der Doktor steht in ihrem Rücken, sie spürt seine Hände auf ihrem Bauch, wie er ihr durchs Haar fährt, wie er an ihr riecht. Er sagt: An unseren Plänen ändert sich nicht das Geringste. Ich muss es dir nicht mal versprechen, denn würde ich es dir versprechen, würde das bedeuten, dass ich zweifle; je schneller ich von hier wegfahre, desto schneller bin ich in Berlin. Sie ist sich nicht sicher, ob sie das glaubt, ob es nicht nur etwas wie die rote Schale für Tile ist, etwas, das man mit nach Hause nimmt und dann nicht weiß, für was um Himmels willen man es gebrauchen soll. Morgen kommt Puah, sagt er, ich glaube, du wirst sie mögen. Er hat sie die ganze Zeit nicht losgelassen, sie stehen noch immer in der Küche vor dem Ofen, seine Hände sind warm, was doch ein gewisser Trost ist, aber auch nicht mehr.

Tatsächlich mag sie Puah sofort. Sie ist nicht nur wegen des Doktors hier, aber man merkt, dass sie sich gut kennen, von Puah hat er Hebräisch gelernt, außerdem lebt sie seit einiger Zeit in Berlin, sodass es gleichsam eine doppelte Verbindung gibt. Vor Puah erwähnt er ihre Berliner Pläne mit keinem Wort. Er lobt das Heim, die Kinder, die ihm allerdings nicht mehr so lieb sind, wenn er ehrlich ist, nicht so wie damals, als sie jeden Abend singend und essend im Garten saßen, was sich so anhört, als wäre es

Jahre her. Das ist Dora, sagt er, und Dora findet, es klingt, als würde er sagen, schaut her, dies ist das Wunder, das mir geschehen ist. Leider werde er demnächst abreisen, erzählt er am Abend, als sie alle zusammensitzen, nicht jeder sei mit diesem Beschluss einverstanden, am wenigsten er selbst. Puah sagt: Dann treffen wir uns doch in Berlin. Anschließend reden sie länger über Berlin, aber anders als der Doktor und sie über Berlin reden, als wäre alles nur schlimm, ja, als wäre es überall besser als ausgerechnet in Berlin, wo Kartoffeln unter Polizeischutz verkauft werden müssen und die Reichsbank täglich zwei Millionen neue Banknoten druckt. Kriegt ihr das in diesem Nest überhaupt mit? Der Doktor lacht und sagt, dass es hier tatsächlich Zeitungen gebe, aber Dora hört nicht zu, sie sieht den Blick der anderen Frau, die Puah heißt. Der Doktor gefällt ihr, sie fährt sich durchs Haar, wenn sie mit ihm spricht, macht einen Scherz über sein Hebräisch und dass er mit Abstand ihr gelehrigster Schüler sei. Aus der Ferne könnte man Puah für die Schwester von Tile halten, fast ist Dora stolz, dass der Doktor Puah gefällt, sie ist nicht eifersüchtig, oder nur ein wenig, auch auf Tile ist sie anfangs eifersüchtig gewesen, aber dann stand er bei ihr in der Küche und wollte nur sie.

5

SEIT SIE WEISS, DASS ER DEMNÄCHST ABREIST, ist sie eher still. Der Doktor hat ihr mehrfach versichert, dass alles beschlossen ist, trotzdem ist er unruhig und voller Zweifel. Er hat seit Tagen kaum geschlafen, er hat Kopfschmerzen, was durch einen Ortswechsel ja nicht unbedingt besser wird, vielleicht noch nicht mal das Wetter, zumal es sich auch hier endlich zu bessern scheint, am Nachmittag sind sie noch einmal alle am Strand. Warum also bleibt er nicht? Zu Dora sagt er: Es ist auch wegen Berlin. Denn wie auf der Hinfahrt möchte er kurz nach Berlin, nur etwas schnuppern und durch das eine oder andere Viertel spazieren, und wenn er in ein paar Wochen bei Kräften ist, kommt er zurück für immer. Es ist ihr drittletzter Tag, er ist müde, Dora fährt ihm mehrmals über Stirn und Schläfen, er spürt, wie traurig sie ist, für den Abend im Heim hat er bereits abgesagt.

Er fürchtet, er wird eine Enttäuschung für sie sein. Er verlässt sie, er kann nicht sagen, was wird, allein das ist eine Enttäuschung. Nein, sagt sie. Hör auf. Später sitzt sie mit gekreuzten Beinen vor ihm im Sand, sie lächelt, etwas fragend, denn es ist das letzte Mal, dass sie hier sitzen, es ist angenehm warm, Dora findet es herrlich, fast wie Anfang Juli, in den Tagen, bevor er sie entdeckte.

Obwohl er noch nicht gepackt hat, ist ihm das Zimmer bereits fremd. Erst gestern hat er hier am Tisch an Tile geschrieben und vor Tagen eine Karte an die Eltern, aber sonst im letzten Monat so gut wie nichts, etwas Tagebuch, aber auch das nur halbherzig, ein paar Skizzen, in denen Dora nicht vorkommt. Seit Tagen liegt ein Brief von Robert da, der jammert, dass er krank sei oder es sich einbildet. Sonderlich bedauern mag ihn der Doktor nicht, stattdessen jammert er in seiner Antwort selbst, Kopf und Schlaf seien schlecht, Montag fahre er von hier fort. Er könnte wenigstens ihren Namen nennen, aber stattdessen redet er von der Kolonie und seinem Status als Gast, der leider nicht eindeutig sei, weil sich mit der allgemeinen Beziehung eine persönliche kreuze. Auf diese Weise immerhin kommt sie vor. Von seinen Plänen kein Wort. Mit wem sollte er darüber reden? Mit Max, von dem er seit Wochen nichts Genaues weiß? Mit Ottla könnte er wahrscheinlich reden, und plötzlich ist das seine Hoffnung, über die bevorstehende Abreise hinweg, dass er sich bei seiner Rückkehr mit Ottla bespricht. Er setzt sich auf den Balkon, um den vertrauten Stimmen zu lauschen, nicht sehr lang, damit ihm das Weggehen nicht zu schwer wird. Die Stimmen wird er zweifellos vermissen, denkt er, das Meer, das vielleicht verzichtbar ist, den Wald, obwohl auch anderswo Wälder sind, irgendwelche Zimmer, in denen man schreiben kann.

Der Abschied ist kurz und hell. Sie ist sehr tapfer, findet er, wieder in diesem Kleid, vor dem er am liebsten sofort auf die Knie fallen möchte, hier, mitten in ihrer Küche. Er wird heute nicht mit ihr essen, denn er hat seinen letzten Abend den Kindern versprochen, dafür war er mit ihr noch einmal am Strand. Viel zu sagen gibt es nicht mehr. Er bittet, ihn auf keinen Fall auf die Bahn zu begleiten. Ja, gut, sagt sie, und darauf er: Bis bald, und wieder sie: Ja, bis bald.

Oben im Zimmer ist er erleichtert, dass sie ihn einfach hat gehen lassen. Noch in Berlin, hat er versprochen, wird er telegrafieren, und sie: Bitte, vergiss nicht, was gewesen ist, und nun geh, es ist alles gut. Er beginnt zu packen, drüben in der Kolonie essen sie gerade zu Abend, wie kann sie glauben, dass er nur die kleinste Kleinigkeit vergisst. Auch Elli hat gepackt, die Kinder wollen ihn nicht gehen lassen, erst gegen zehn ist er auf seinem Zimmer. Drüben im Heim ist es merklich ruhiger geworden, er sieht am langen Tisch die Kinder, aber ohne Wehmut, als wäre er bereits weg, in Berlin, auf dem Weg ins Hotel.

Als es klopft, nimmt er es anfangs kaum wahr, als würde er an ein Klopfen nicht glauben, und dann ist es Dora. Offenbar ist sie diesmal nicht gerannt, sie wirkt im Gegenteil sehr ruhig, etwas blass. Geweint hat sie nicht, aber sie hat nachgedacht, sagt sie, den halben Abend drüben in der Kolonie. Worum sie ihn von Herzen bittet, ist, die Reise zu verschieben, für einige Tage, denn morgen früh kann und darf er nicht fahren. Ich bitte dich, sagt sie und noch einmal: Bitte. Wieder sitzt sie auf dem Sofa, seltsam jung und ernst, als würde sie sich selbst am meisten wundern, dass sie gekommen ist. Sie schüttelt den Kopf, sagt eine Weile nichts, dann: Sie habe nicht gewusst, dass es so schwer wird. Aber deshalb ist sie nicht hier. Ich habe nur immer gedacht, so kannst du nicht gehen. Kannst du das? Nein, sagt er. Vielleicht hätte er es gekonnt, aber jetzt nicht mehr.

Die ganze Zugfahrt hat er ihren Duft, hie und da einen Satz, den Schimmer einer Bewegung, während Felix und Gerti ihn mit ihren Fragen löchern, ihm alle möglichen Tiere zeigen, draußen in der vorüberziehenden Landschaft, die flach und weit ist, der Himmel wolkenlos.

Sogar die Schwalben fliegen wieder, aber es ist Anfang August, da müssen sie schließlich noch fliegen.

Beim Abschied gegen halb eins haben sie nicht mehr viel gesprochen. Der einzige Gedanke war, wie sehr man sich doch täuscht, vor allem in sich selbst, denn das Wunder, so unfassbar es bis dahin gewesen war, war noch nicht zu Ende, die Geduld, das Staunen, das ihn bis jetzt erfüllt, wie sanft und kundig sie war. Sie ist fast unbeschwert von ihm weggegangen, verwirrt und glücklich, als wäre da jetzt ein Schutz, denn so ungefähr hat sie es gesagt. Und nun schlaf, versprich mir, dass du schläfst. Und wirklich hat er mehrere Stunden geschlafen, in ihrem Geruch, nicht sehr tief, als würde er damit rechnen, dass sie zurückkommt, oder als wäre es für diesmal kein Unterschied, als wäre sie hier bei ihm und zugleich drüben in ihrem Zimmer. Er kann sogar essen am nächsten Morgen, um halb sieben ist er wach und packt die letzten Sachen, auf der Lauer, ob da etwas ist, das ihn stört, ein kleiner Verrat, aber da ist nur Verwunderung.

Der Doktor hat keine Eile mit der Stadt, zumal er die ersten Wege kennt: im Askanischen Hof die Rezeption, die livrierten Diener, die das Gepäck aufs Zimmer bringen, die rotgoldene Decke über dem Bett, Sessel und Stühle, den schweren Schreibtisch am Fenster. Obwohl er Elli versprochen hat zu essen, hat er das Zimmer nicht mehr verlassen, aber jetzt, nach einer halbwegs gelungenen Nacht und einem für seine Verhältnisse üppigen Frühstück, ist er voller Tatendrang. Er macht Bekanntschaft mit den neuesten Millionenscheinen, in einer Wechselstube am Bahnhof, wo er sämtliche Berliner Zeitungen kauft, um später, in einem Café, die Inserate zu studieren. Die Preise sind horrend, jedenfalls den Zahlen nach. Dora hat ihm gesagt, in welchen Gegenden er suchen soll, in

Friedenau hat sie gesagt, der Name gefällt ihm, und also fährt er nach Friedenau.

Nach zwei Stunden hat er sich so gut wie entschieden. Die Gegend ist sehr grün, es ist still, wie auf dem Land, überall nur Gärten, Alleen, junge Mütter mit Kinderwagen, am nahe gelegenen Rathaus Steglitz mehrere Elektrische, sodass man bei Bedarf in einer Viertelstunde im Zentrum ist. Er schickt Dora ein Telegramm, dass er gut angekommen ist, seinen ersten Eindruck. Möchtest du mit mir nach Friedenau?

Auch Tile, die er am Nachmittag in der Buchhandlung besucht, erzählt er von Friedenau, fast, als müsse er sich beruhigen, weil er unterwegs so fürchterliche Dinge gesehen hat, zerlumpte Gestalten, die mitten auf der Straße betteln, dazu der furchtbare Lärm, das Gedränge und Geschiebe, weil überall zu viele Menschen sind. Tile hat auf ihn gewartet, sie zeigt ihm seine Bücher im Schaufenster, hinten links neben dem neuen Roman von Brenner. Sie freut sich, hat an ihn gedacht, die rote Schale hütet sie wie ihren Augapfel. Sie hat eine Tasse Tee für ihn gemacht. Hinten in einem Verschlag, der als Büro genutzt wird, darf er sitzen, während sie vorne die letzten Kunden bedient und ihn seinen Müdigkeiten überlässt, oder was immer da jetzt ist, eine gewisse Leere, die nicht unangenehm ist, ein kurzer Moment, in dem die Dinge so sind wie sie gerade sind.

Am nächsten Tag geht er weiter durch die Straßen, macht die Entdeckung zweier Parks, sitzt im Botanischen Garten eine Stunde im Schatten auf einer Bank, denn wie gestern ist es sehr heiß, sodass man eigentlich nicht gehen möchte. Er freut sich, wenn er etwas wiedererkennt, in den stillen Straßen um das Rathaus einen Garten mit Malven, ein blondes Mädchen, das einen großen Reifen mit einem

Stöckchen über die Gehsteige treibt. Am frühen Nachmittag bestellt er sich in einem Gastgarten eine Portion Eis, beginnt einen Brief an Max, legt ihn wieder weg, fühlt sich wie verlassen. Jede Stunde spüre er die böse Wirkung des erst eintägigen Alleinseins stärker, wird er später schreiben, aber jetzt sitzt er einfach da, ohne Gefühl für den Ort. Um ihn herum sind Familien mit Kindern, es ist Mittwoch, der Garten ist nicht sehr voll, eine dicke Kellnerin bringt einem weinenden Jungen den verlorenen Luftballon zurück, überall Stimmen, Geplapper, vereinzelt Gelächter, zwei Tische weiter zwei Paare, die sich über Geld unterhalten, etwas mit Koffern, die man neuerdings braucht. Kürzlich auf der Bank, sagt die Blonde, und dann lachen sie, als wären die bösen Zeiten ein vorübergehender Witz. Fast tröstet den Doktor ihre Ausgelassenheit, er versucht sich zu ermahnen, er ist allein, aber genau das hat er gewollt, außerdem ist er nicht allein, erst gestern Abend war er im Theater, mit Tile und zwei Freundinnen in einer Aufführung der »Räuber«.

Kaum hat er Berlin verlassen, sinkt dem Doktor der Mut. Die Stadt war schlimm, aber was ihn erwartet, ist viel schlimmer. Er sitzt im Zug und muss aufpassen, dass er sie nicht verliert, wie sie bei ihm im Zimmer gestanden hat, ergeben und zugleich stolz, als wäre sie unverwundbar.

Damit versucht er sich zu wappnen. Elli und Valli werden zu Hause Bericht erstattet haben, wie stark er abgenommen hat, dass die Reise ein Fehlschlag war; schon die Reise im Frühjahr ist ein Fehlschlag gewesen, und trotzdem ist es jedes Mal eine Enttäuschung. Sie werden ihn zwingen, zu essen, sie werden ihn nicht lassen, mit einem leisen Kopfschütteln, gegen Mittag, wenn er noch nicht aufgestanden ist, als hätte er nie begriffen, wie man richtig lebt.

6

SIE HAT WIRKLICH NICHT GEWUSST, wie es ist; sie ist fünf-
undzwanzig und hat nicht die geringste Ahnung gehabt.
Dora kann sich nur wundern über sich, sie hüpft und
lacht, sie war so dumm, bis sie ihn getroffen hat, erst jetzt
weiß sie Bescheid.

An die Zeit davor denkt sie nicht groß. Das und das ist
gewesen, das meiste nicht der Rede wert, am wenigsten
die Sache mit Hans, damals mit Albert der Nachmittag im
Hotel, über den man nicht weiter reden muss, und dabei
hat sie anfangs gehofft, irgendwann mit ihm zu leben, und
dass er sie nicht nur hinhält, wie sie viel zu spät begriffen
hat und dann glaubte, sie müsse daran zugrunde gehen.
In Wahrheit erinnert sie sich kaum an ihn. Auch an sich
selbst erinnert sie sich kaum, als hätte der Doktor ihr früheres Leben ausgelöscht. Sie weiß nicht, wie das möglich
gewesen ist. Auf die Küsse und Umarmungen, denkt sie,
kommt es gar nicht an, die dummen Sätze, die man sagt
und die vielleicht doch wahr sind, jetzt, da er weg ist und
alle Sätze gesagt werden können: Ich bin dein, ich geh
nicht weg, wenn du mich nicht wegschickst, gehe ich nicht
mehr weg. Sie mag es nicht, dass er gefahren ist, aber es
ist nicht unerträglich. Wenn sie ihn im letzten Moment
nicht besucht hätte, wäre es unerträglich, aber so nicht,
es zieht und bohrt, als wäre da ein Schmerz, bloß dass es
eben kein Schmerz ist.

Außer dem Telegramm hat sie leider nichts gehört. Ein

Bote hat es ihr gebracht, letzten Dienstag, als er in Berlin war.

Sie weiß, dass er ihr nicht gehört. Seine Hände noch am ehesten, meint sie, die Worte, die er zu ihr gesagt hat, während es draußen dämmerte. Es sind Sätze, die sie fast auswendig kann. Den halben Abend kann sie auswendig, die Stimmen der Kinder, die anfangs zu ihnen drangen, die Stille, seine Gewissenhaftigkeit, jeden einzelnen Tag mit ihr hat er gewusst, jedes erste Mal, denn mit dir ist alles wie das erste Mal.

Seine Schrift ist eine Überraschung, weich und voller Schwünge. Der Brief ist nicht sehr lang, ohne Anrede, sodass sie erst mal ihren Namen sucht, die Stelle, an der er über ihren Abschied spricht. Wunderbarste D., findet sie und weiter unten: Bitte warte in Müritz auf mich, was nun fast so klingt, als würde er in ein paar Tagen zurück sein.

Zu seiner Lage kann er nicht viel sagen, die Familie habe ihn freundlich aufgenommen, aber trotzdem, trotzdem. Wenn ich nicht so elend wäre, hätte ich noch auf dem Bahnhof kehrtgemacht und wäre mit dem nächsten Zug zurück zu dir gefahren. Er erwähnt den Besuch bei Tile, dann sehr ausführlich seine Bekanntschaft mit Friedenau. Beinahe glücklich sei er dort zwei Nachmittage herumgegangen. Überall sei Dora-Land. Müritz ist Dora-Land und dieses wundervolle Friedenau nicht weniger, und so fahre ich Tag und Nacht zwischen beiden Ländern hin und her. Vergessen hat er nichts. Manches begreift er überhaupt erst jetzt, wie zart und klug sie gewesen ist, als hätte sie seit jeher alles über ihn gewusst.

Gegen Mitternacht hat sie ihre Antwort zum Postkasten gebracht, bis zum letzten Moment im Zweifel, denn im

Grunde hat sie nur gestammelt. Dora-Land also ist Friedenau? Dann suchen wir etwas in Friedenau. Zufällig habe ihr Bekannter kürzlich geschrieben, er sei bereit, zu helfen, brauche allerdings genaue Angaben, die Zahl der Zimmer, einen Preis. Davon abgesehen hat sie das meiste nicht sagen können. Sie hätte gerne, dass er ihr sein Zimmer beschreibt, den Blick aus dem Fenster. Ziemlich am Anfang hat er einmal davon gesprochen. War da nicht eine Kirche? Etwas Ausländisches, sie weiß nicht mehr. Weißt du noch, Jesaja? Sie möchte ihm gerne vorlesen, denn mit den Kindern ist es nicht dasselbe, nichts ist dasselbe, seit er weg ist, erst gestern hat sie lange unter seinem Balkon gestanden, das Zimmer ist wieder belegt, eine ältere Frau bewohnt es, aber hat sie dazu ein Recht?

Sie wartet nicht. Sie liest bei jeder Gelegenheit, was er geschrieben hat, sie spricht mit ihm, sie ist unruhig, aber nicht fassungslos, außerdem hat sie die Kinder, täglich drei Mahlzeiten, sie sitzt in der Küche, wo er noch immer ist, nachmittags am Strand, wo die Kinder sie verspotten, weil sie nicht gut zuhört, weil sie mit ihren Gedanken immerzu woanders ist.

Er hat ihr Geld geschickt, mehrere Scheine in einer fremden Währung, für die sie keine Erklärung hat. Im ersten Moment nimmt sie an, es sei eine Art Vorschuss für das Zimmer, aber dann liest sie, was er sich gedacht hat, das Geld ist für sie, in ein paar Wochen habe sie in Müritz keine Arbeit mehr, nur für den Fall, dass er dann nicht zurück ist. Sie soll in Müritz nicht arbeiten müssen. Er klingt beschwingt, als wäre er sicher, das Richtige zu tun, doch sie weiß sofort, dass sie das Geld nicht will. Es ist später Vormittag, sie muss sich um das Mittagessen kümmern, trotzdem denkt sie weiter an das Geld, das sie noch heute zurückschicken wird, die Sache sei ein Missverständnis, bitte versteh, es ist ein wenig kränkend, aber nötig ist es auf keinen Fall. Dabei hat sie gar nicht darüber nachgedacht, ob es gegebenenfalls nötig wäre, sie hat eine Aufenthaltsgenehmigung bis Ende August, und wenn er bis dahin nicht hier ist, ja, was dann.

Paul, einer der Betreuer, hat sie gefragt, was mit ihr ist. Hast du Kummer? Paul ist Student, er mag sie, vielleicht sollte sie sich ihm anvertrauen. Aber sie kann nicht. Kummer ist das falsche Wort. Sie hat die Erfahrung gemacht, wie leicht man sich verletzen kann. Auch verletzt ist das falsche Wort, denn fast begrüßt sie es, dass er sie verletzen kann, ja, könnte er sie sehen, würde sie ihm sagen, schau, das hast du aus mir gemacht, selbst das erlaube ich dir.

Eines der Mädchen hat ihr die Post zum Strand gebracht. Sie ist gerade im Wasser gewesen und sitzt im Sand neben seinem Korb, sieht das Mädchen mit dem Brief, aus der Ferne seine Schrift, dann ihren Namen, wie er ihn schreibt, quer über den halben Umschlag, die ersten Zeilen, die sie sofort beruhigen, nicht weil er sich für das dumme Geld entschuldigt, etwas matt, nicht restlos überzeugt, warum sie es nicht nimmt, sondern weil er sie vermisst, mit jeder Zeile, die sie ihm schreibt, weil er ohne sie nicht gut leben kann. Er klingt nicht glücklich, denkt sie, aber der Brief ist von gestern, er ist noch nicht richtig angekommen. Morgen treffe ich Max, liest sie, und deshalb ist es eine Weile auch für sie ein Morgen, und erst beim Wiederlesen begreift sie, dass morgen heute oder sogar gestern ist. Von seinem Zimmer kein Wort, wann er aufsteht, was mit seinen Eltern ist. Nur Ottla kommt an einer Stelle vor, dass er an einem Tisch sitzt, ein Blick aus dem Fenster, der kein Blick für sie ist. Stattdessen schreibt er: Wenn ich durch dein Haar fahre in meinen müden Gedanken, bin ich froh, aber als wäre es nicht wahr. Mein ganzes derzeitiges Leben ist nicht wahr, es findet nur irgendwie statt, während das Leben mit dir nicht stattfindet, aber ohne Zweifel wahr ist.

7

MAX IST SEHR SPÄT GEGANGEN, kurz nach elf. Gut drei
Stunden haben sie geredet, mit einem anfänglichen Gefühl der Fremdheit, in der ersten halben Stunde, in der
nur der Doktor Thema gewesen ist. Max war sichtlich erschrocken, wie er aussah, wollte wissen, wie viel er wiege, ob er nachts huste, ob er Temperatur habe, was der
Doktor mehr oder weniger wahrheitsgemäß verneinte. Er
fühle sich schwach, deshalb liege er viel, oft bis zum Mittag und dann noch einmal den halben Nachmittag, er lese,
versuche zu schlafen, gehe zur Post, dann wieder Bett, die
Essversuche, Schreiben so gut wie gar nicht, kurz: Er tue
sein Bestes. Von Berlin habe er ja schon geschrieben, von
der Kolonie, denn seit er die Kolonie kennt, ist der Doktor
nicht mehr derselbe.

Ich habe jemanden kennengelernt, sagt er. Eine Frau
aus dem Osten. Dora. Er habe ihr auf der Stelle vertraut,
sie sei sehr jung, sehr jüdisch, alles komme von weit her
bei ihr, er setze seine ganze Hoffnung auf sie, denn sie
lebe in Berlin. Sobald ich bei Kräften bin, gehe ich zu ihr
nach Berlin. So sagt er es. Es klingt verrückt, mutmaßt
er. Findest du, ich bin verrückt? Es ist wie ein Wunder.
Insbesondere der Freund hat an solche Wunder immer
geglaubt, für Max besteht das halbe Leben aus Wundern,
und der Einzige, der sie bezweifelt hat, war der Doktor.

So also steht es um ihn. Was sagst du dazu? Max kann
nur sagen, wie sehr er sich freut, für niemand freut es

ihn so sehr wie für den Doktor. Wie um es zu beweisen, umarmt er ihn. Er möchte wissen, ob er ein Foto von ihr hat, er hofft, dass er sie bald kennenlernt. Der Doktor sagt: Ich habe nicht gewusst, dass es ein Wesen wie sie überhaupt gibt. Sie sei sehr zart, falls das etwas über sie sage, rede fließend Jiddisch und Hebräisch. Ich wiege 59 Kilo, sagt er. Max, sagt er. Kann ich mit 59 Kilo nach Berlin? Das kann er natürlich nicht. Er muss Geduld haben. Berlin läuft ihm nicht davon, rät der Freund. Die Stadt ist wie im Fieber, sagt Max, weil seine Emmy ihm das berichtet, das Ärgste stehe dort wohl erst noch bevor.

Er liest ihren Brief im Stehen am Fenster, erleichtert, dass sie nicht böse ist, tatsächlich wird das Geld praktisch nicht erwähnt. Sie ist am Strand. Fast meint er sie zu sehen, wie sie da sitzt und schreibt, als wäre er selbst nicht weit. Alles ist nah und vertraut. Wenn sie schreibt, an der Landungsbrücke lege gerade ein Dampfer an, weiß er sofort die Szene, allerlei Damen mit bunten Schirmen am Arm ihrer geschäftigen Gatten, vorneweg die herausgeputzten Kinder, der eine oder andere Hund, eine streng gekleidete Gouvernante, ein lustiges Fräulein. Das meiste hat er vor sich: den milchigen Horizont, den welligen Schaum am Strand, obwohl sich manches schon verflüchtigt, am frühen Morgen der Geruch des Wassers, die Farben, Details, auf die er leider nicht genügend geachtet hat, eine alte Brosche, die Dora getragen hat, ihre Schuhe, die Zehen, etwas war doch mit ihren Zehen. Ihre Augen sind graublau. Er weiß ihren Blick, aber vielleicht nicht mal das, die Wirkung, dass ihn da etwas trifft, auch jetzt, während er liest, was sie ihm geschrieben hat, eine Frau aus dem Osten, Mitte zwanzig.

Auch M. ist Mitte zwanzig gewesen, als er sie getroffen hat. Vor ihr F. war Mitte zwanzig und nur wenige Jahre älter Julie. Offenbar lernt er seit Jahren nur Frauen kennen, die Mitte zwanzig sind. Was sagt das über ihn, der inzwischen vierzig ist? Dass er jung geblieben ist? Wie sehr er sich weigert, erwachsen zu werden? Darüber denkt er eine Weile nach. Es fällt ihm auf, dass sie fast alle jüdisch waren. Die Schweizerin ist keine Jüdin gewesen, auch M. nicht. Weil er M. traf, hat er Julie bei lebendigem Leib das Herz herausgerissen. Jetzt, im Abstand von all den Jahren, scheint es ihm unglaublich, dass er dazu in der Lage gewesen sein soll.

Dora schreibt, dass man an ihn denkt. Der Sand denkt an dich, das Wasser, das Heim, Tische und Stühle, die Wände in meinem Zimmer, wenn ich nachts nicht schlafe und merke, wie du überall vermisst wirst.

Es ist Sonntagabend, der Doktor liegt im Bett und lauscht auf den Lärm der Straße, drüben in der Küche die Stimme der Mutter, die Schritte des Vaters, das Schlagen der Standuhr, in den Momenten, in denen es still ist, von weit weg sein Herz, in seinen Schläfen das Pochen des Blutes, wie er sich einbildet, nicht richtig müde, halb im Dämmer, ohne genaue Gedanken. Er ist nur froh, dass Dora ihn nicht so sieht. Er würde sofort aus dem Bett springen vor Scham, und am Ende wäre das ja gut, denn ohne Dora wird er das Bett womöglich nicht mehr verlassen. Er liegt im Bett und beobachtet zugleich von der Tür, wie er da liegt, mit dem Blick der Mutter, die immerzu etwas bringt, zuletzt einen Becher saure Milch, weil er bei Tisch kaum gegessen hat.

Bisher hat ihm niemand Fragen gestellt, weder über die Wochen in Müritz noch über die nähere Zukunft. Die Mutter hat ihn beiläufig gefragt, ein wenig mitleidig oder auch gekränkt. Sie weiß, er ist nicht gerne nach Hause zurückgekehrt, dass er sich nicht wohlfühlt, dass er die Tage nur irgendwie erduldet. Wie immer unterschätzt er sie auch. Sie will zum Beispiel nicht glauben, dass die Reise ein Fehlschlag war. Sie sagt: Ich hoffe, du hast in Deutschland etwas erfahren, das dich froh macht. An das du dich erinnern kannst. Der Doktor ist überrascht, gibt ihr sofort Recht, ja, manches mache ihn sehr froh. Und sie: Dann ist es gut. Ich freue mich. In der Tür dreht sie sich noch einmal um. Auch der Vater mache sich Sorgen. Jeder von uns.

Sie geht auf die siebzig zu, sie wirkt müde, man hört sie oft seufzen, mehr für sich, aus Kummer über alles und jeden.

Den Vertrag mit dem Verlag hat er vor Tagen unterschrieben und nach Berlin geschickt. Er hat nur seinen Namen darunter setzen müssen, als wäre das der erste Schritt, den er zwar nur zur Hälfte billigt, den er aber tun muss, um den Glauben nicht zu verlieren.

Die Zeitungen schreiben nun täglich über den nicht enden wollenden Sturz der Mark und wie er die Deutschen immer tiefer in ihr selbst verschuldetes Unglück stürzt. Das Tempo ist gespenstisch. 70000 Mark kostet ein Liter Milch, 200000 ein Laib Brot, der Dollar steht bei vier Millionen. Was wird um Himmels willen die Miete für das Zimmer kosten, falls es je zu diesem Zimmer kommt?

Ottla hat eine Karte geschrieben, in der sie sich erkundigt, wie es ihm geht, was sie für ihn tun kann. Der Doktor weiß nicht recht, wie er darauf antworten soll. Vor Tagen hat er begonnen, ihr zu schreiben, in Andeutungen von Müritz, was ihm dort geschehen ist, was es für ihn bedeutet. Er hat den Brief nicht abgeschickt. Ottla hat andere Sorgen als einen verwirrten, kraftlosen Bruder. Sie soll nicht merken, wie er hofft, sie könnte ihn hier wegholen, denn genau das ist seine Hoffnung, dass sie in der Tür steht und sagt: Ja, komm, überall ist es besser als in diesem Zimmer.

Dora möchte wissen, an welche Art von Unterkunft er gedacht hat. Willst du mir das bitte schreiben, damit mein Berliner Bekannter weiß, was er suchen soll? Bei ihr sei alles beim Alten, seit er weg sei, fehle ihr in der Kolonie der rechte Schwung. Diese und nächste Woche noch, dann ist es vorbei. Was macht der Schlaf? Kannst du schlafen? Wenn ich am Strand war, schlafe ich wie ein Murmeltier, aber meistens reicht die Zeit nicht dazu, dauernd will jemand etwas von mir, dauernd sitze ich in der Küche, die sich täglich bei mir beklagt, dass sie dich so lange nicht gesehen hat. Weißt du noch, wie wir im Wasser waren? Wann wirst du kommen? Bitte komm bald. Hast du ein Zimmer, kannst du doch kommen.

Es tröstet ihn, dass sie an das Zimmer glaubt. Ein Bett müsste er haben, einen Tisch zum Schreiben. Sonst braucht er nichts. Ein Sofa wäre angenehm, eine Heizung, wenn es kalt wird, Licht und Wasser. Für einen Moment glaubt er daran. Es ist möglich. Er hat sie getroffen. Deshalb ist es möglich.

Ottla hat für einen Tag ihre Sommerfrische verlassen. Nur seinetwegen, wie sich herausstellt, Elli und die Mutter haben in ihren Briefen kein Blatt vor den Mund genommen. Sie hat ihn kurz angeschaut und sofort beschlossen, dass er von hier wegmuss, aufs Land, an die frische Luft. Im ersten Moment ziert er sich, obwohl er dankbar und erleichtert ist, beschämt, weil sie die beiden kleinen Mädchen hat und trotzdem an ihn denkt.

Zu besprechen gibt es erst mal nicht viel. Ottla ist in seinem Zimmer, um beim Packen zu helfen, fühlt ihm die

Stirn, redet von ihrem Quartier beim Kaufmann Schöbl, dass er auch wärmere Sachen braucht, falls das Wetter umschlägt und sich herausstellt, dass es nicht nur ein paar Tage sind. Bis Ende September können sie bleiben. Er erschrickt, weil das mehr als vier Wochen sind, aber er fühlt sich matt, er hat Fieber, deshalb widerspricht er nicht.

8

MANCHMAL WACHT SIE NACHTS AUF und ist voller Zweifel: ob er kommt, warum sie all die Tage so sicher gewesen ist, selbst jetzt, da ihr plötzlich alles fraglich erscheint, als könne er es sich nicht noch anders überlegen, zum Beispiel weil er ernstlich krank wird, weil er nicht mehr daran glaubt, weil er anfängt, sie zu vergessen.

In den ersten Tagen hat sie gedacht, sie habe genug für immer, aber jetzt gehen die Vorräte unerwartet zu Ende, die Dinge verlieren ihren Glanz, im Spiegel ihr Haar, der Blick, die Spuren auf ihrer Haut, die elend und empfindlich ist. Sie hat nicht gewusst, dass ihr Körper sich erinnern würde, Augen Nase Mund, ihre Lippen, die seine Lippen nicht haben, unter ihrem Bauchnabel die Stelle, an der es immer gezogen hat. Seine Stimme fehlt ihr, wie er sie anschaut, damals am Strand, als er sie mit einem Blick erkannte, wer sie war, ein dummes verliebtes Mädchen aus dem Osten, aber zugleich noch etwas anderes, jedenfalls für ihn, der etwas in ihr sieht, was bisher keiner in ihr gesehen hat. Sie findet sich nicht sonderlich hübsch, aber damals am Strand unter seinen Augen wollte sie hübsch sein, auch später auf der Landungsbrücke, als sie spürte, wie er sich nach ihr sehnte, und wie einverstanden er mit seiner Sehnsucht war und niemand anderen wollte als sie.

Bei der Fremdenpolizei hat man ihr mitgeteilt, dass die Aufenthaltsgenehmigung nicht verlängert wird; eine neue

Stellung ist nicht in Sicht, also muss sie zurück nach Berlin. Sie redet mit Paul, nur in Andeutungen, warum sie aus Müritz nicht wegmöchte. Sie habe jemandem versprochen, hier auf ihn zu warten, vielleicht finde sich ja vorübergehend etwas in einem Hotel. In der Arbeitsvermittlung hat man ihr nicht viel Hoffnung gemacht, mit dem Ende der Ferien reisten viele Gäste ab, da gebe es an neuen Kräften praktisch keinen Bedarf.

Paul hat sofort eine Vermutung, auf wen sie wartet. Sie sagt nicht Nein und nicht Ja, was am Ende ebenfalls eine Antwort ist, endlich gibt sie zu: Ja, der Doktor. Jetzt, im Nachhinein, will Paul bemerkt haben, dass da von Anfang an etwas gewesen ist, so ein Flackern, beim Essen, wenn der Doktor mit ihr geredet hat, wie er sie ansah, wie kein Mensch einen anderen ansieht. Ist er nicht ein bisschen alt für dich? Paul ist Anfang zwanzig, für ihn ist ein Dreißigjähriger ein alter Mann. Aber dafür redet er jetzt sehr schön über ihn, der Doktor sei ein außergewöhnlicher Mann, sehr zart und zuvorkommend, ein Schriftsteller, nun gut, die halbe Kolonie habe sich schließlich in ihn verliebt.

Er hat gesagt, er geht mit ihr nach Berlin, gibt sie preis.

Der Doktor? Und deshalb wartest du auf ihn? Du könntest doch viel besser in Berlin auf ihn warten. Wann will er hier sein?

Das weiß sie leider nicht, aber wenn sie hier wegmuss, möchte sie auf keinen Fall nach Berlin, zurück nach Berlin geht sie nur mit ihm.

Er ist zu seiner Schwester in die Sommerfrische gefahren. Gestern, nach dem Gespräch mit Paul, ist eine Karte in der Post gewesen, und jetzt weiß sie erst mal nicht weiter. Die Schwester sei nicht sonderlich zufrieden mit ihm gewesen, deshalb sei er für ein paar Tage zu ihr aufs Land gefahren. Der Name sagt ihr nichts. Schelesen heißt der Ort. Ottla sei sehr energisch gewesen, sie habe ihm praktisch keine Wahl gelassen. Ich sehe wie ein Gespenst aus, hat sie gesagt. Willst du mit einem Gespenst leben in Berlin? Gestern, in der Küche, hat sie nur gedacht: Nein, bitte nicht, Liebster, du bist in die falsche Richtung gefahren, kehr um, was soll denn aus mir werden.

Paul hat sie am Morgen gleich gefragt, was um Himmels willen ist. Schlechte Nachrichten? Sie weiß nicht, ob die Nachricht schlecht ist oder nur eine Nachricht, sie hat die Karte wieder und wieder gelesen, die Stelle mit dem Gespenst, und jetzt, allmählich, beginnt sie sich zu beruhigen. Wenn es nicht anders möglich ist, ist es im Grunde gut. Sie muss nur wissen, wo sie in der nächsten Zeit bleibt. Sie könnte zu ihrer Freundin Judith fahren, die in einem Dorf bei Rathenow den Sommer verbringt, vielleicht kann sie dort bis auf Weiteres bleiben.

Paul sagt: Man merkt, dass es dir nicht gut geht, aber man sieht, wie glücklich du bist. Er hilft ihr in der Küche, sitzt mit ihr im Garten, holt Kaffee und Gebäck, macht ihr Komplimente, aber immer so, dass sie sich wohlfühlt, als spräche er für den Doktor, der ihr diese Komplimente derzeit nicht machen kann. Er kommt, sagt er. Er wäre schön dumm, wenn er nicht kommen würde und dich wer weiß wem überlässt, und dann glaubt sie wieder daran. Sie fühlt sich etwas matt, aber sie ist frohgemut, und wenn es nur diese paar Tage gewesen wären, die Landungsbrücke, der Wald, auf seinem Zimmer das eine Mal und später das zweite. Aber selbst ohne das zweite Mal, wenn sie nur wüsste, dass es ihn gibt, für sie, wenn sie nur die Briefe hätte, die Telegramme, irgendein Zeichen, damit sie weiß, dass er sie gemeint hat.

Am nächsten Tag hat sie eine Unterkunft. Hans hat telegrafiert, nicht eben freundlich, aber eine Unterkunft scheinen sie zu haben, ein großes Erkerzimmer in Steglitz, in einer Straße, von der sie nie gehört hat, mit Bad und Küche. Erst kann sie es kaum glauben, aber dann doch, sie hüpft vor Freude fast bis an die Decke und erzählt es später auch Paul. Für deinen Doktor, schreibt Hans. Die Sache sei eilig. Bis Ende der Woche muss sie entschieden sein, dazu eine Telefonnummer, der Name der Vermieterin (Frau Hermann), die bei Interesse rückwirkend die Miete für den halben August verlangt. Kein Gruß, nur sein Name, damit sie merkt, dass er nicht dumm ist, oder warum legt sie sich für eine Strandbekanntschaft derart ins Zeug.

Von seinem Zimmer weiß er noch nichts. Sein letzter Brief ist von vorgestern, und trotzdem ist es seltsam, dass er nicht die geringste Ahnung hat, denn sonst wäre er sicher froh, aber er klingt beschwert, als seien seine Tage ein Kampf, von dem nicht feststeht, ob er ihn gewinnen wird. Er sitze auf dem Balkon in der Sonne, lese in den Zeitungen, wie es in Berlin immer ärger wird, beschließe, auf alle Zeitungen zu verzichten und lese sie dann doch jeden Morgen, um aufs Neue zu erschrecken.

Ottla habe ich von dir erzählt, schreibt er, dass es dich gibt, was du mit mir gemacht hast. Sie hat mich mit großen Augen angesehen und dann gemeint, dass sie das kennt von ihrem Mann Pepo, da sei es ihr ähnlich ergangen. Willst du nicht zu uns nach Schelesen? Platz wäre genug. Die Gegend würde dir gefallen, das Wetter ist bisher freundlich, meine beiden Nichten entzückend. Sie wohnen in einer kleinen Pension, über einem Kolonialwarenladen im ersten Stock, mit Blick auf die Dorfstraße. Das Dorf ist nicht sehr groß, er schreibt von einer Art Tal, rundherum seien bewaldete Hügel, in denen er manchmal spazieren gehe, von einem Schwimmbad schreibt er, das er aber bislang nicht besucht habe. Am ehesten sieht sie ihn in seinem Zimmer, das sie sich so ähnlich wie das in Müritz denkt, wenn er auf dem Balkon sitzt und liest, den ungefähren Blick in die Landschaft, die waldig und hügelig ist, aber ohne Meer, nicht wie hier, wo man dauernd Sand zwischen den Zehen hat.

Liebster, schau, schreibt sie. Kannst du mich sehen? Ich sitze im Garten an dem langen Tisch und zittere wegen Berlin. Halb sitze ich hier am Tisch, halb in deinem neuen Zimmer, das ich mir hell und groß denke und in dem fast immer die Sonne scheint. Ich weiß nicht, wohin ich gehe, schreibt sie. Es ist windig, alles flattert, fliegt, nichts will bleiben, wo es ist, auch dieser Brief will schnell weg, mit tausend Küssen, deine Dora.

Döberitz hat das Dorf geheißen, jetzt erinnert sie sich. Sie kann sich gleich morgen in den Zug setzen, lässt Judith wissen, man muss mehrmals umsteigen, aber willkommen bist du jederzeit. Judith ist selbst erst seit letzter Woche da, sie bleibt bis Ende September, weil sie endlich für ihre Prüfungen lernen muss, was soll man in diesem verregneten Sommer sonst auch tun. Ich freue mich auf dich. Männer gibt es hier leider keine, zumindest habe ich nichts dergleichen entdeckt, es gibt nur halbwüchsige Bauern, die mich ausgiebig begaffen, du wirst ja sehen.

Paul wirkt etwas enttäuscht, als sie von Judiths Einladung erzählt. Insgeheim hat er wohl gehofft, sie käme mit nach Berlin, aber nun will sie nach Döberitz, fängt schon an, sich zu verabschieden, unten am Strand, als dürfte sie um Himmels willen nichts vergessen, dabei ist es erst Donnerstag. Paul sieht ehrlich betrübt aus, aber am Abend, als sie mit den Kindern singen und tanzen, ist die Sache vergessen. Sie hat seit Ewigkeiten nicht mehr getanzt, Paul hat sich überreden lassen, und jetzt tanzen sie. Sie passen nicht sehr gut zusammen, aber sie tanzen.

9

Seit er das Zimmer angemietet hat, ist der Doktor wieder optimistischer. Die Vermieterin hat sich nur für das Geld interessiert, sie wollte nicht mal wissen, wann genau er einzieht. Dass er ein Doktor ist, schien sie zu beeindrucken, sie hat ihn dauernd mit Titel angesprochen, war auch sofort einverstanden, dass das Geld in einer fremden Währung angewiesen wird, hier in Berlin gehe doch gerade einiges durcheinander. Und also hat er ein Zimmer in Berlin. Er meint sich zu erinnern, wo es in etwa liegt, schickt an Dora ein Telegramm, dass alles geregelt sei, für einen Moment fast heiter, nun, da das neue Leben in greifbare Nähe rückt.

Sie schreibt, dass sie in Müritz nicht länger bleiben kann und vorübergehend zu einer Freundin ziehen wird. Vielleicht ist das gut, vielleicht nicht. Das Wunder entschwindet ihm, hat er das Gefühl, nur in ihren Briefen meint er es noch zu spüren. Von einem Döberitz hat er nie gehört. In der kleinen Pensionsbibliothek, weiß er, ist ein alter Atlas, er muss nicht lange suchen, der Ort liegt keine hundert Kilometer von Berlin entfernt, in westlicher Richtung.

In den ersten Tagen ist es für ihn nicht leicht, in Schelesen zu sein. Schelesen ist Vergangenheit, es ist ihm alles auf schmerzhafte Weise vertraut, das Liebliche der Landschaft, Häuser und Villen, die halb bäuerlich, halb touristisch sind, Wege und Wälder. Hier, in diesem Nest, hat vor Jahren die unselige Geschichte mit Julie begonnen, am Ortseingang in der Villa, in der auch Max und Felix schon untergekommen sind. In der Villa waren keine Zimmer mehr frei. Er ist froh, nicht dort sein zu müssen, aber dann, als er eines Nachmittags hingeht und auf den Stufen der Treppe zum Eingang steht, versteht er gar nicht mehr, warum, da er kaum noch weiß, wer er damals gewesen ist. Die Geschichten löschen sich gegenseitig aus, denkt er, die Briefe, die Seligkeit der Küsse, die Umarmungen, die einander folgen und nicht bleiben, nicht mal als Schatten.

Er hat an seinen Vater geschrieben in dieser Villa.

Ottla ist zartfühlend genug, ihn auf nichts zu stoßen. Sie geht durch diese Landschaft, als wäre sie ihr halbes Leben durch sie gegangen, erinnert ihn nur an Szenen, die sie und ihn betreffen, wie sie einmal nach Mitternacht über den Zaun des Schwimmbads geklettert sind und bei Mondschein im Wasser planschten, an irgendwelche Albernheiten beim Essen, an die komischen Fratzen aus Stein, auf denen sie im ersten Sommer herumgeklettert sind. Weißt du noch, fragt sie und zeigt auf ein Haus am Hang, hinten in dem kleinen Tal, wo sie eines Tages eine Katze mit ihren Jungen in der Wiese entdeckten. Die Erinnerung ist sehr vage. Eine Katze mit ihren Jungen, ja, aber ohne Details, ohne die Farben, die Bedeutung, die es in diesem Moment für Ottla gehabt hat.

Halb im Scherz hat er vor Jahren zu ihr gesagt: Wenn ich eines Tages heirate, heirate ich eine wie dich. Das wird schwer, hat sie erwidert, so eine wie mich findet man nicht leicht. Ist das hier in Schelesen gewesen oder doch in Zürau oder woanders?

Es hat auch Enttäuschungen gegeben mit Ottla. Seit sie Kinder hat, sieht sie ihn manchmal wie aus großer Ferne an. Ihre Nächte sind nicht besonders, die kleine Helene ist erst vier Monate alt, aber es ist schön zu beobachten, wenn Ottla sie stillt, wie sie ohne Worte verbunden sind.

Hin und wieder lernt er noch etwas. Er schätzt zum Beispiel die Bedeutung von Briefen nicht mehr so hoch ein, wartet nicht ungeduldig auf Antwort. Kommt ein Brief, ist er überglücklich, legt ihn zur Seite und sagt: Na schau, ein Brief aus Müritz, war nicht erst gestern einer da? Aber bringt der Bote nichts, kann er das ohne Enttäuschung hinnehmen, beschuldigt nicht die Post, wie er es früher oft getan hat, muss auch nachher nicht sofort auf sein Zimmer und alles wiederholen, sondern kann mit Ottla und den Kindern bis zum Nachmittag auf der Wiese des Schwimmbads liegen.

Zugenommen hat er bisher nicht. Er bemüht sich nach Kräften, macht kleine Spaziergänge, beobachtet sich. Ottla sagt: Mach es wenigstens für sie. Wenn du sie liebst, machst du es für sie. Dabei hat er Ottla von seinen Plänen noch nichts gesagt. Jeden Tag nimmt er es sich vor, aber dann verlässt ihn der Mut, oder er hat eine zerrupfte Nacht, oder Ottla hat sie, weil das Kind geweint hat, weil es zu jeder Tages- und Nachtzeit an die Brust will.

Er hat sie zu einem Spaziergang eingeladen. Ottla trägt ein leichtes Sommerkleid, es ist warm, in den Gärten blühen die letzten Sommerblumen; hie und da wird Holz gemacht, man sitzt faul in der Sonne, der eine oder andere grüßt. Sie gehen nicht sonderlich schnell, Richtung Osten, wo sie soeben die letzten Häuser passieren. Dann der Plan. Die Schwierigkeiten muss er nicht eigens erwähnen. Aber er ist frohen Mutes, sagt er, er sei fest entschlossen. Ottla nickt. Sie hat Fragen zu den Details, aber sonst sagt sie nicht viel. Der Plan ist gut, sie sagt es wieder und wieder. Ich freue mich, sagt sie. Ja, so. Warum nicht. Natürlich helfe ich dir auch. Und etwas verrückt warst du ja immer, wahrscheinlich zu wenig, denn warum wärst du sonst all die Jahre geblieben. Wie Max möchte sie Dora so bald wie möglich kennenlernen, es gefällt ihr, dass sie kocht, dass sie den Bruder nimmt, wie er ist.

Döberitz ist ein verschlafenes Kaff, schreibt Dora, es gibt eine Kirche, Sommerfrischler wie sie und Judith, Bauern, auf den Weiden Vieh, geduckte Häuser, eine Handvoll Straßen, weiter weg die Havel, in der man baden kann. Sie klingt fröhlich, das Wetter ist nicht berauschend, aber sie haben viel zu reden, natürlich hat sie von Müritz erzählt, von ihrem großen Glück. Judith ist richtig neidisch gewesen, vor allem weil du ein Schriftsteller bist, deinen Namen hat sie gehört, aber noch nichts gelesen. Sie würde dir gefallen, sie liest von morgens bis abends. Passt Ottla gut auf dich auf? Sie bittet, dass er Ottla grüßt. So wie er von ihr gesprochen hat, hat sie Ottla von Anfang an gemocht. Hast du von Berlin erzählt? Bist du mir gut? Ich habe geträumt von dir, vorhin am Sofa, als ich kurz eingeschlafen bin, du hast sehr schöne Sachen mit mir getan, von denen ich leider nur flüstern kann, lauter schöne Sachen.

In Deutschland ist der Dollarkurs in drei Tagen von knapp zehn auf dreißig Millionen Mark gestiegen, ein Laib Brot kostet eine Million. Max hat geschrieben, dass er nach Berlin fährt, offenbar hat sich die Sache mit Emmy zugespitzt, aber das kennt der Doktor schon, die Geschichte langweilt ihn, fast findet er sie verdrießlich, und das will er ihm jetzt schreiben, bevor sie sich morgen in einer Woche sehen. Der Vater hat demnächst Geburtstag, deshalb erwägt der Doktor, Schelesen für zwei Tage zu verlassen und ein Stück in Doras Richtung zu fahren, wie er sich einredet, denn was seinen Vater betrifft, hat er seit jeher nur dunkle Gründe. Sein Vater würde wahrscheinlich nicht mal bemerken, dass er eigens für ihn angereist ist. Ottla lacht über ihn. Wolltest du nicht nach Berlin? Glaubst du, er stimmt deinen Plänen zu, wenn du ihm vorher brav zum Geburtstag gratulierst?

10

ER SCHREIBT IHR FAST JEDEN TAG. Judith, die weiter keine
Lust zum Lernen hat, sagt, die Einzige, die hier arbeite,
sei Dora, die mit dem Antworten kaum nachkommt. Dauernd hat er Fragen, will wissen, was sie anhat, welches
Kleid, welche Bluse, wie ihre Nacht war, die Einrichtung
des Zimmers, in dem sie schläft, was sie essen, worüber
sie sprechen, etwas über die Tropfen auf ihrer Haut, das
nasse Haar, wenn sie von einem ihrer Spaziergänge zur
Havel zurückkehrt. Meistens sind seine Briefe ruhig und
klar. Sie mag es, wenn er über ihre Augen schreibt, ihre
Gestalt, wenn er bei ihr verweilt, wenn er sie küsst. In
den Nächten zweifelt er, ob er gesund wird, er macht
sich Sorgen wegen der angespannten Lage in Berlin, und
manchmal wird es ihr dann zu viel, dann braucht sie Abstand, um sich wieder fassen.

Erst heute Morgen hat sie ein Experiment mit sich gemacht. Zwei Briefe sind in der Post, aber geöffnet hat sie
sie nicht. Sie hat sie zur Seite gelegt und zu sich selbst oder
Judith gesagt, nicht jetzt, später, es ist zu viel, Liebster, ich
bin wie betrunken, wenn du wüsstest, was deine Briefe
mit mir machen. Auch auf ihrem täglichen Spaziergang
hat sie die Post nicht mitgenommen. Sie ist nicht richtig
glücklich damit, aber genau deshalb hat sie es getan, und
auf dem Rückweg zwei Stunden später beginnt sie auf
halber Strecke zu laufen und rennt und fliegt, zurück zu
den beiden Briefen, zerreißt das Kuvert und beginnt zu

lesen, hört seine Stimme, als wäre es das erste Mal, nach hundert Jahren zum ersten Mal seine Stimme.

Wenn Judith länger schläft, geht sie am liebsten durch die niedrigen Zimmer. Dora hat das Haus von Anfang an gemocht. Es gehört einer Tante von Judith, die im Februar gestorben ist, es ist klein und altmodisch, alles riecht nach Holz und nach Tante, die in ihrer Jugend eine Schauspielerin gewesen ist und sich mit Anfang fünfzig in diese Einöde zurückgezogen hat. Es gibt Fotos von ihr, auf denen sie keine zwanzig ist, ein blutjunges Ding, sehr hübsch, fast ein bisschen wie Judith, in der Rolle der Ophelia, wie eine verwaschene Schrift hinten auf den Fotos verrät. In späteren Jahren wurde sie dick, verpasste den richtigen Zeitpunkt für Mann und Kind und wurde um die Jahrhundertwende in Döberitz so etwas wie eine Bäuerin, hatte einige Jahre Vieh, einen Stall mit Hühnern, Gänse, zwei Ziegen, dazu bis zu ihrem Tod einen Keller voll mit eingemachtem Obst und Gemüse, geräuchertem Schinken, Schnaps, einem Verschlag mit Kartoffeln.

Judith hat gesagt, dass sie nicht kocht, sie esse hier draußen nur Brote, aber seit ihr Dora berichtet hat, was in dem kleinen Dorfladen der Laib Brot kostet, leben sie praktisch nur noch von den Vorräten. Es gibt einfache Gerichte mit Kartoffeln, Reibekuchen mit Apfelmus, Püree mit gebräunter Butter, abends eine klare Suppe mit gequirltem Ei, weil Judith bei einem Bauern günstig Eier bekommt.

Ein paar Tage ist sie sehr ausgelassen. Alles ist neu, sie hat Judith, sie hat die Briefe, die langen Spaziergänge, wenn es mal ausnahmsweise nicht regnet. Sie haben sich gar nicht gekannt, stellt Dora fest. Als Judith vor Monaten im Volksheim auftauchte, wirkte sie ziemlich hochnäsig, aber jetzt haben sie richtig Freundschaft geschlossen und erzählen sich die geheimsten Sachen. Judith hat ein Verhältnis mit einem verheirateten Mann gehabt, kurz bevor sie nach Döberitz geflüchtet ist. Sie hat von Anfang an gewusst, dass daraus nichts wird, aber er ist sehr aufmerksam gewesen, er hat sie zum Essen ausgeführt, ins Theater, er hat sie auf Händen getragen, in den ersten Wochen, als sie ihn hinhielt, weil sie glaubte, sich das schuldig zu sein.

Sie hat ihn in einem seiner Seminare kennengelernt. Er hat sie angesprochen, so mit einem Blick, dass sie gleich wusste, was er von ihr will. Judith, der Name gefiel ihm, obwohl er später gesagt hat, dass er das Jüdische an ihr nicht mag. Findest du, ich sehe jüdisch aus? Mein Name ist jüdisch. Aber sonst? Trotzdem beharrte er darauf. Anfangs habe sie nur gelacht und gefragt, was genau das Jüdische an ihr sei, und natürlich ist ihm nicht das Geringste eingefallen. Er rieche das, hat er gesagt. Meine ganze Art sei jüdisch, wie ich mich bewege, wie ich rede, dass ich gar nicht schüchtern bin. In unserer ersten Nacht, und dann immer öfter. Die Juden seien das Unglück Deutschlands, er als Historiker wisse, wovon er rede. Alles in der ersten Nacht. Judith fühlt sich nicht gut damit; sie war dumm, sie hätte es wissen müssen.

Dora hat nicht viel Erfahrung mit Leuten, die gegen Juden sind. Ab und zu auf der Straße ein böses Wort, im Restaurant ein belauschtes Gespräch. Einmal hat ein Junge vor ihr ausgespuckt, er war keine zehn. Sie ist ihm hinterhergelaufen und hat ihn zur Rede gestellt. Arme Judith. Aber Judith findet sich nicht arm, sie zieht seit Längerem ihre Schlüsse daraus und will, wenn sie studiert hat, nach Palästina. Vielleicht ist es ja Unsinn, dass ich vorher studiere, was brauchen sie dort in Palästina deutsche Juristen, dazu ausgerechnet eine Frau. Sie brauchen Leute, die die Felder bestellen, Gärtner und Bauern, sie brauchen Frauen, die Kinder gebären, dunkle lockige Judenkinder. Jetzt lacht sie, weil sie sich das nicht vorstellen kann. Und du?, fragt sie Dora, die es sich ebenfalls nicht vorstellen kann, sie hat noch nicht darüber nachgedacht, aber denkt sie darüber nach, ist es so wundervoll wie unbegreiflich.

Judith hat sich einen freien Tag genommen. Es ist noch einmal richtig warm, deshalb sind sie nach dem Frühstück los in Richtung Havel und sofort ins Wasser. Judith erzählt, dass sie hier im letzten Sommer von allerlei Bauernjungen belagert worden sei, als hätten sie in ihrem Leben noch nie ein nacktes Mädchen gesehen. Aber diesmal sind sie allein, nur Libellen und die letzten Mücken leisten ihnen Gesellschaft, am Himmel verschiedene Vögel, der rote Milan, sagt Judith, die natürlich auch alle Vögel kennt und davon träumt, sie hätte einen Mann wie den Doktor.

Du bist ein Glückspilz, sagt Judith. Schön bist du außerdem, ein bisschen runder als ich, ohne die spitzen Stellen. Es ist nicht unangenehm, von Judith betrachtet zu werden, wenn sie sagt, hier die Stelle mag ich und die, wenn sie ihr das Haar bürstet, als wären sie Schwestern.

Sie nimmt seine Briefe abends ins Bett, legt sie unters Kopfkissen, so wundervolle Sachen stehen darin. Sehr oft träumt er von seinem neuen Zimmer, von ihrem ersten Abend, wie er sie hochhebt und wegträgt, was er in Wirklichkeit nie könnte, doch im Traum ist es ein Kinderspiel. Außerdem bist du überraschend leicht, ich trage dich mit einer Hand, du bist sehr klein und liegst mitten in meiner Hand, mit geschlossenen Augen, als würdest du schlafen, aber du schläfst nicht, im Gegenteil.

Bislang hat er sich nicht dazu geäußert, wann er dieses Schelesen verlässt. Erst heute Morgen beim Erwachen hat sie gedacht, in wenigen Tagen, man kann sie zählen, aber dann kommt gegen Mittag ein Brief, in dem er ihr mitteilt, dass an eine Reise nicht zu denken sei. Erst jetzt spürt sie, wie sehr ihr das Warten zusetzt, sie beginnt zu heulen, nicht sehr lang, weil sie bald merkt, dass sie an ihr Geheule nicht glaubt. Er ist krank, er hat dauernd Temperatur. Berlin erscheine ihm gerade unerreichbar, schreibt er. Hätte ich dich hier bei mir, wäre es ein Katzensprung, aber mit mir allein in der trübseligen Stimmung der letzten Tage ist die Reise des Columbus nichts dagegen. Eine Woche mindestens, ist die Botschaft. Er habe gebettelt wie ein Kind, aber Ottla habe nur immer gesagt: eine Woche.

Manchmal fürchtet sie sich jetzt. Der Gedanke ist ihr nicht angenehm, dass sie ihn kaum kennt, dass sie sich womöglich ineinander täuschen, in den ersten Tagen und Wochen in Berlin, wenn sich herausstellt, dass alles ein großer Irrtum gewesen ist. Wenn sie nicht aufpasst, denkt sie so, irgendwie ungläubig, weil sie nicht sagen kann, woher die kleinmütigen Gedanken kommen, als wären es gar nicht ihre, etwas, das sich langsam in sie hineinschiebt und dann allmählich wieder verschwindet.

Es ist noch einmal Sommer, die allerletzten Tage, schon mit dem neuen Licht, unten an der Badestelle das leuchtende Schilf, die rauschenden Birken. Sie versucht sich zu sagen, dass solche Gedanken normal sind. Auch Judith sagt, dass sie normal sind. Er ist vierzig, er hat fünfzehn Jahre länger gelebt als sie. Er sei ein unglücklicher Mensch, hat er auf der Landungsbrücke gesagt. Sie erinnert sich genau, wie sie sich gewundert hat, da er doch glücklich war, vom ersten Moment an, als ich dich in der Küche sah.

11

Ein paar Tage glaubt er nicht daran, als müsse er den Glauben verlieren, und erst dann wäre alles möglich. Er hat an Max geschrieben und an Robert, es gebe eine kleine Gewichtszunahme, über Dora kein Wort, dafür wiederum nur sehr vage über die Berliner Aussichten, im ersten Rausch des Heimes habe er sie wohl überschätzt.

Die größte Freude sind ihm jetzt die Kinder, die kleine Helene auf seinem Schoß beim Frühstück, wenn er sie im Garten herumträgt und mit ihr redet, immer die gleichen Sätze, was für ein feines Mädchen sie doch ist, aber müde ist das kleine Mädchen, deshalb muss es bald schlafen. Ottla sieht erschöpft aus, verliert manchmal die Geduld, wenn die zweijährige Vera auf ihre Rechte pocht, deshalb kümmert er sich öfter um Vera, die bereits spricht, von heute auf morgen, wie ihm vorkommt, als seien die Worte seit Langem in ihr vorhanden gewesen, und jetzt, in diesem späten Sommer, würden sie nach und nach freigelassen. Der Doktor versteht nicht viel von Kindern, er hat zu wenig Umgang mit ihnen, obwohl Ottla behauptet, dass ihn Kinder lieben, vielleicht, weil er selbst eine Art Kind geblieben ist.

Um die Mittagszeit ist er mit Ottla und den Kindern schwimmen gegangen, es ist unerträglich heiß, an die dreißig Grad. Erstmals seit Wochen hat er keine Temperatur, deshalb geht er sofort ins Wasser, schwimmt auch richtig lang, Bahn für Bahn mit dem klaren Bewusstsein, dass es das war, als würde er das Schwimmbad nie wiedersehen, als wäre es das letzte Mal, dass er schwimmt.

Ottlas Mann Pepo ist selten da. Meist kommt er nur übers Wochenende, erstaunt, dass das sein Leben sein soll, dass er zwei Töchter hat, eine junge Frau, die in den Nächten kaum schläft und für jede Stunde dankbar ist, die er in ihrer Nähe ist. Diesmal bleibt er nur für eine Nacht, schimpft lange auf die Kanzlei, wobei man seinen Tiraden anmerkt, dass die Kanzlei sein Fluchtpunkt ist. Er begrüßt die Kinder, hat einen zerstreuten Kuss für Ottla, ein Nicken für den Doktor, streicht der kleinen Helene durchs Haar, fragt nach Vera, die bei seiner Ankunft gleich weggelaufen ist. Und das also soll sein Leben sein? Man sieht ihm an, dass er es nicht glaubt. Ottla ist mehr oder weniger blind dafür, sie bedauert ihn, springt immer wieder auf und bringt ihm etwas, versucht ihm zu berichten, Helene hat gestern mehrmals gelächelt und dann, um vier Uhr morgens, ohne Grund zwei Stunden gebrüllt.

O weh, sagt Pepo, dessen Nacht ebenfalls kurz gewesen ist, bis halb eins hat er über Papieren gesessen. Ich bin gar nicht da, sagt er, als Ottla weg ist, um die Kinder zu wickeln, außerdem hasse er das hier, das Land, die Stille, die verdammten Wespen. Viel zu sagen haben sie sich nicht, vielleicht, weil Pepo ahnt, dass der Doktor ihn durchschaut, nicht ohne Sympathie, als wäre dem Schwager ein Unglück zugestoßen, das ihn unter anderen Umständen selbst hätte treffen können.

Der Doktor weiß, dass er nie eigene Kinder haben wird. In den Jahren mit F. hat er wieder und wieder darüber nachgedacht und sich dagegen entschieden. Oder hat das Leben für ihn entschieden? Ich schreibe oder habe Frau und

Kinder, hat er gedacht; man bleibt für sich oder man führt ein Leben wie der Vater oder die Schwestern. Zeugungsfähig wäre er gewesen. Er ist zu einem Arzt gegangen und hat es sich bestätigen lassen, daran hat es nicht gelegen. Es lag an seiner Angst, dass er die richtige Frau nicht fand, dass er die Frauen erst lockte und dann vertrieb, indem er ihnen Angst vor seiner Angst machte und sie verdächtigte, sie würden ihn am Schreiben hindern. Dabei schreibt er schon lange nicht mehr, seit vielen Wochen nicht, von den Briefen an Dora abgesehen, ein paar Nachrichten an die Freunde, die ihm immer ferner rücken.

Ihre Schrift wird kleiner. Mitunter kann er sie kaum lesen, als würde sie im fahrenden Wagen schreiben oder spätnachts ohne Licht, im Dunkeln, wenn sie vor Sehnsucht stumpf ist. Sie kann nicht mehr, schreibt sie. Ich sollte dir das nicht sagen, aber die Wahrheit ist, dass ich nicht mehr lange kann. Ich werde hässlich ohne dich, ich streite mich mit Judith, die ungeduldig wird, weil ich so fahrig bin, so ohne dich. Ich stolpere die ganze Zeit, schneide mich mit dem Messer, weiß deinen Namen nicht mehr, deinen Geburtstag, deine Küsse. Bitte komm, schreibt sie.

Der Doktor sitzt allein im Garten und findet ihre Klage verständlich. Sie hat jedes Recht dazu, vielleicht nicht nur das Recht, sondern die Pflicht. Es ist auch eine Mahnung, ein Rufen, das ihn daran erinnert, dass das Wunder nicht unverletzlich ist.

In zwei Tagen will er fahren. Auch Ottla will nicht länger bleiben. Pepo ist in der Stadt, will sie aber abholen, dann fahren alle zusammen.

Wegen der Eltern rät ihm Ottla zu einer halben Lüge. Sie sitzen draußen im Garten, es ist nicht sonderlich warm, aber die halbe Stunde, während die Kinder schlafen, haben sie. Er soll sagen, für ein paar Tage, nur mit kleinem Gepäck, dann nehmen sie es vielleicht hin. Freust du dich? Sie findet nicht, dass er so aussieht. Er fürchtet sich. Er freut und er fürchtet sich, vor allem vor der Stadt, der er sich nicht gewachsen fühlt, in dieser Krise. Er weiß Doras Gesichtszüge nicht mehr genau, ihre Nase. Ihren Mund weiß er, ihren Blick, von ferne ihre Stimme, wenn sie sagt, sie sei fast verrückt geworden, es hat mich fast umgebracht, und dabei weiß ich nicht mal, wo dieses verdammte Schelesen genau liegt.

Zum vierten Mal in diesem Sommer packt er. Wäre das Reisen nicht, würde ihm das Packen nicht viel ausmachen. Selbst das Reisen wäre nicht der Rede wert, aber diesmal ist es nicht irgendeine Reise, diesmal entscheidet sich sein Leben.

Der Doktor weiß, dass er bis zur letzten Sekunde zweifeln wird, in der Nacht, bevor er in den Zug steigt, ein wenig stumpfsinnig, weil er kaum geschlafen haben wird und bis zum Morgen das Absagetelegramm an die Berliner Vermieterin verfasst und wieder verwirft. Er kann sich alles vorstellen, den Blick der Mutter, das Kopfschütteln des Vaters. Trotzdem wird er am Morgen aufstehen und sie verlassen. Er wird seine Sachen nehmen und gehen, auf Fragen und Bedenken nicht antworten und zum Bahnhof fahren. Nur weil er die Kämpfe sehen kann, wird er sie am Ende hoffentlich gewinnen.

12

AM FLUSS UNTER DEN BÄUMEN ist es bereits herbstlich
kühl. Ohne Jacke würde sie frösteln, dennoch hat es sie
noch einmal hierhergezogen, allein, ohne Judith, die von
morgens bis abends lernt und vom nächsten Sommer
träumt, wenn sie sich hoffentlich alle hier treffen, Dora
mit dem Doktor und Judith mit wer weiß wem, vielleicht
hat sie bis dahin ja einen Mann, bei dem sie bleibt.

Eine Weile steht Dora nur da und denkt an ihn, fühlt
in der Tasche ihres Rockes seinen letzten Brief, das Telegramm, in dem tatsächlich steht, dass er kommt. Es ist
später Vormittag, wahrscheinlich sitzt er längst im Zug,
allein in einem Abteil, obwohl er geschrieben hat, dass er
mit Ottla fährt. Mehr denkt sie nicht. Die Hauptsache ist,
er fährt. Sie merkt, wie sie sich zu freuen beginnt, auf eine
neue, nachdenkliche Weise, wie nach einer knapp bestan-
denen Prüfung. Die letzten Tage hat sie ihn kaum gespürt,
aber jetzt ist er wieder nah. In der Nacht hat sie geträumt,
dass er mit dem Zug verunglückt ist. Sie hat nach ihm
gesucht, am Rande einer Böschung, wo verschiedene leb-
lose Gestalten lagen, unter Decken, als würden sie frieren,
aber unter diesen Gestalten war er nicht.

Sie sitzt in der Küche am Fenster und stellt sich vor, wie er
es ihnen sagt, die Begrüßung, wie sie ihn mustern. Wenn
sie ihn lieben, denkt sie, müssen sie erraten, dass er sie
verlassen wird, am Abend, wenn sie am Tisch sitzen,

wenn er anfängt, sie zu belügen. Wäre sie bei ihm, wäre alles viel leichter, denkt sie. Oder wäre es dann im Gegenteil viel schwieriger?

Judith sagt: Mein Gott, er ist vierzig, sie werden es überleben. Hast du nicht gesagt, dass er vierzig ist?

Es ist ihr vorletzter Abend, Judith hat eine Flasche Wein besorgt und wirkt abgespannt. Sie hat unterschätzt, wie viel Stoff sie durcharbeiten muss, außerdem möchte sie Dora am liebsten nicht gehen lassen und redet weiter vom nächsten Sommer, auch in Berlin müssen sie sich sehen, falls dein Doktor dich lässt. Wirst du mit ihm leben? Von Anfang an? Darüber haben sie merkwürdigerweise nicht gesprochen, Dora weiß es nicht, sie haben nur ein Zimmer, außerdem ist es vielleicht schwierig, mit einem Menschen so auf engem Raum Tag für Tag, wenngleich sie nichts lieber möchte als das.

In der Nacht auf Sonntag kann sie kaum schlafen. Mal sieht sie das Telegramm, mit dem er ihr absagt, mal hat sie nicht den geringsten Zweifel. Geldsorgen hat sie leider auch. Judith hat gesagt, die Fahrkarte übernehme selbstverständlich sie, sei nicht komisch, es ist nur Geld, und Geld haben ihre Eltern wie Heu.

Am Morgen beim Frühstück meint sie zu wissen, dass er auf dem Weg nach Berlin ist. Er hat angekündigt, sich zu melden, sobald er da ist, irgendwann am Abend. Judith muss sie dauernd ermahnen. Hab Geduld, sagt sie. Es wird Abend, es dämmert, von einer Nachricht keine Spur. Warum rufst du ihn nicht an? Daran hat Dora nicht gedacht. Sie könnte ihn anrufen, es gibt eine Telefonnummer, Hans hat sie ihr vor Wochen geschickt. Nur ein paar Sätze, dann wäre sie beruhigt.

Leider hat er ihr gesagt, wie sehr er Telefone hasst.

Auf die Einzelheiten käme es nicht an, sie müsste nur

seine Stimme hören, seinen Atem, weit weg, am anderen Ende der Leitung, irgendein Sirren, das ihr sagt, dass sie verbunden sind, die bloße Tatsache, dass.

Am vorletzten Tag steht auf einmal Hans vor der Tür. Dora ist gerade hinten im Garten beim Wäschehängen, deshalb bemerkt sie ihn nicht gleich, erst als sie sich kurz bückt und jemand in der Wiese stehen sieht. Es ist tatsächlich Hans, der vor Tagen geschrieben hat, dass er sie abholen will, und weil sie nie geantwortet hat, ist er einfach gekommen. Hans? Na gut, sagt sie. Warte. Ich bin gleich fertig. Er macht ein betrübtes Gesicht, beobachtet, wie sie ein letztes Paar Strümpfe hängt; er trägt eine fleckige Hose und ein nicht sehr sauberes Hemd.

Dora weiß sofort, dass sie sich jetzt erklären muss, dass er sie abholt, um über die alten Berliner Sachen zu reden, doch hier im Garten möchte sie damit nicht anfangen. Sie schlägt einen kleinen Spaziergang vor, führt ihn an der Kirche vorbei Richtung Fluss, in eine Gegend, die sie selbst nicht kennt. Hans sagt nicht viel. Er trottet neben ihr her, will wissen, wie es ihr geht, hat auch nichts dagegen, als sie vorschlägt, sich zu setzen, am Ufer auf einen Baumstamm, wo sie endlich reden, nicht sehr lang, beinahe wie ein Paar, als wäre sie ihm das schuldig. Sie dankt ihm für das Zimmer, auch der Doktor sei ihm sehr dankbar, seit gestern ist er in Berlin. Sie erklärt in etwa, was geschehen ist, dass es ihr leid tue, das und das sei der Plan, sicher habe er das meiste längst erraten. Du willst mit ihm leben, sagt Hans, worauf sie antwortet: Ich wünsche es mir. Denn er ist mir sehr wichtig.

Als sie zurück sind, ist es früher Abend. Hans hat ihr lange von seiner Arbeit am Hafen erzählt, die zwar nur vorübergehend ist, aber besser als nichts. Er hilft beim Löschen der Ladung, schleppt schwere Kisten, Säcke und

Fässer. Wenn er abends seinen Lohn empfängt, muss er sich beeilen, damit er für das Geld noch etwas bekommt, denn am nächsten Morgen ist es wertloses Papier. Auch beim Essen reden sie lange über Berlin, Judith hat zum Abschied alle möglichen Sachen gekauft, es wird nach zwei.

Das also war unser Sommer, sagt Judith und fasst zusammen, was über den dummen, armen Hans zu sagen ist, der unten auf dem Sofa schläft und zuletzt doch ziemlich betrunken gewesen ist. Ja, schade, sagt Judith, ich glaube, ich vermiss dich schon, selbst wenn der Zug erst morgen Nachmittag geht. Abfahrts- und Ankunftszeit stehen in einem Telegramm, das am Mittag gekommen ist. Ich treffe mich mit Max, steht da, und hole dich um 18 Uhr 42 ab. Im ersten Moment hat sie gedacht, warum so spät, aber jetzt ist sie fast froh, dass sie sich am Abend treffen, sie werden erschrecken, sie werden sich fragen, ob sie noch sind, was sie in Müritz gewesen sind.

Als sie in den Bahnhof einfahren, hat sie Hans vergessen. Die Fahrt ist noch ziemlich schnell, man erkennt nicht viel, aber dann, als der Zug abbremst, sieht sie die ersten Schemen, zwei, drei Gepäckwagen, Paare, Männer, die sich nach Koffern bücken, ein Kind auf den Schultern seines Vaters. Sie sitzen im hinteren Drittel, deshalb ist es nicht erstaunlich, dass sie ihn nicht gleich findet, sie bleibt auch völlig ruhig, wartet an der Tür, bis die Leute vor ihr ausgestiegen sind, steht endlich auf dem Bahnsteig und sieht ihn immer noch nicht. Auf Hans achtet sie nicht weiter. Sie wendet sich nach links zum Ausgang, und erst jetzt entdeckt sie ihn, ziemlich weit weg, auf den ersten Blick noch schmaler, nicht ganz fremd. Sie winkt, und jetzt winkt er zurück, lächelt, stutzt, geht ihr ein paar Schritte entgegen. Stutzt er wirklich? Nein, das ist erst später und doch fast im selben Augenblick, als sie vor ihm steht und nicht weiß, wie sie ihn begrüßen soll, ihn nicht richtig berührt, nur kurz mit ihrem Kopf seine Schulter. Wartest du schon lange? Er schüttelt den Kopf, der Zug sei auf die Minute pünktlich, und in diesem Moment nimmt er wahr, dass sie in Begleitung ist. Hans hat das Gepäck auf den Bahnsteig gestellt. Das ist Hans, sagt sie ohne Blick für Hans und möchte am liebsten hinzufügen, dass es ohne Bedeutung ist. Hans ist nur irgendein Hans, ein Freund, nicht mal das, jemand, der sie begleitet hat. Herr Doktor, sagt Hans, sehr erfreut. Er gibt ihm die Hand, zur Begrüßung wie zum Abschied, denn kaum hat er den Doktor begrüßt, dreht er sich um und ist fort in Richtung S-Bahn.

Sie könnte nicht sagen, was sie erwartet hat. Franz, sagt sie. Lass dich anschauen, erwidert er, er nickt, da also wären wir. Sie fühlt sich ziemlich wackelig, aber jetzt umarmt er sie, mitten auf dem Bahnsteig, während sich rechts und links die letzten Passagiere Richtung Ausgang schieben. Endlich, sagt er, wir nehmen einen Wagen. Im Wagen sagt er noch einmal, endlich, lass dich anschauen, als würde er sich plötzlich erinnern, auch zu seinem Zimmer sagt er etwas, es sei sehr schön, aber er fürchte, es werde ihn ruinieren.

Dora kann sich nicht erinnern, wann sie zuletzt mit einem Wagen gefahren ist. Sie müssen einige Minuten warten, aber dann sind sie unterwegs, der Fahrer verflucht sich, dass er den Weg über den Potsdamer Platz genommen hat, flucht die halbe Potsdamer Straße, bis der Verkehr allmählich nachlässt. Die ersten Villen mit Gärten tauchen auf, sie erreichen Friedenau, vorne das Rathaus Steglitz ist zu sehen, dann sind sie da. Dora hat die ganze Zeit seine Hand gehalten. Sagen kann sie nicht viel, außerdem sind jetzt andere dran, ihre Hände, die leise pochenden Adern. Ihre Finger reden. Lasst euch Zeit. Das ist das Beglückendste, dass sie endlich Zeit haben, sie braucht fürs Erste nur seine Hand. Sind sie schon da? Sie hat gar nicht gemerkt, dass er das Haustor aufgeschlossen hat, auch auf die Straße hat sie kaum geachtet, und jetzt stehen sie da vor dieser Tür.

Sie hat beinahe vergessen, wie das geht, aber jetzt flüstern sie. Er schließt die Wohnung für sie auf, und das erste, was sie sieht, ist ein kurzer dunkler Flur. Aber mehr als diesen Flur braucht sie nicht, wie oft hat sie von diesem Moment geträumt. Ich bin da, flüstert sie. Du, sagt sie. Zuletzt sei es fast unerträglich gewesen, aber jetzt nicht mehr.

Damit sie sich gewöhnt, fasst sie erst mal alles an: die scheußlichen Vorhänge, die Kissen auf dem Sofa, die Möbel, lange das Klavier, das dieser Tage leider abgeholt wird. Sie begutachtet Ofen und Schrank, sitzt an seinem Schreibtisch. Sie steht in der Küche und macht den Wasserhahn auf und zu. Das habe ich gestern nicht bemerkt, sagt sie, hier, schau, sogar einen Nussknacker gibt es, Töpfe, Pfannen, alles, was das Herz begehrt.

Sie haben gestern eine Ewigkeit in diesem komischen Flur gestanden, als wäre das seit Wochen ihr Ziel gewesen, sie und er im Mantel, auf diesen paar Quadratmetern. Den halben Abend hat sie gedacht: Nun schickt er mich weg, wenn wir gegessen haben, wenn ich nicht mehr damit rechne.

Sie ist sehr spät gegangen, doch jetzt, am nächsten Morgen, ist sie wieder zurück. Sie frühstücken, sie gehen zusammen einkaufen, beglückt, auf eine vorsichtige Art albern. Sie lachen über die vielen Nullen auf den Geldscheinen, vergessen die Hälfte, machen sich noch einmal auf den Weg. Er erzählt ihr, was bei seinen Eltern war, von der letzten Nacht, die furchtbar gewesen sein muss, dass er bis zuletzt nicht gewusst hat, ob er fahren wird.

Alles in allem ist er sehr vorsichtig. Mehr mit sich selbst als mit ihr, hat sie das Gefühl, denn mit ihr müsste er eigentlich nicht vorsichtig sein. Sie ist noch immer nicht bei sich, aber das gefällt ihr, sie versucht zu fassen, was ist, sieht ihn am Schreibtisch, ganz in ihrer Nähe, und fasst es nicht.

Am zweiten Nachmittag haben sie Emmy zu Besuch. Sie ist sich nicht sicher, ob sie die aufgeregte Frau mag, für fünf Uhr hat sie sich angekündigt, aber dann ist sie über eine halbe Stunde zu spät, völlig außer Atem, als wäre sie den ganzen Weg gerannt. Sie war bis soeben auf einer Probe, dauernd komme sie zu spät, Max könne ein Lied davon singen. Dann redet sie lange über Max, ihr Glück und ihr Leid, wie entsetzlich es ist, wenn er fährt, dass sie sich einfach nicht daran gewöhnt, für sie breche jedes Mal die Welt zusammen. Max lässt Sie beide natürlich grüßen, sagt sie, er und der Doktor hätten kürzlich ja lange im Café Josty gesprochen. Kennen Sie das Josty? Dora kennt es nur vom Namen. Wo ist er überhaupt?, fragt Emmy, und jetzt wundert sich auch Dora. Bis vorhin hat er geschrieben, aber als sie nach drüben gehen, finden sie ihn schlafend auf dem Sofa, das Gesicht zur Wand, mit halb angezogenen Beinen, damit er überhaupt Platz hat, ohne die geringste Regung.

Zwei | **bleiben**

1

Die ersten Tage sind wie leichter Schlaf, nachmittags auf dem Sofa, wenn er nicht genau weiß, woher die Geräusche kommen, unten von der Straße, aus der Küche, oder doch von weiter drinnen, irgendein Klopfen, eine Stimme, die wie die Stimme Doras klingt, aber vielleicht nur Einbildung ist, etwas, das er in sich aufrufen kann, weil er es schon gehört hat.

Ist er wach, ist alles angenehm fremd, vor den Fenstern die gedämpfte Bewegung der Vorstadt, die Stille in den Parks, wenn sie zusammen gehen. Noch ist das meiste neu und überraschend, ihr Gesicht am Morgen, ihr Geruch, wie sie sitzt, im Schneidersitz auf dem Sofa, wenn sie aus der Bibel liest. Ja? Willst du? Ist es dir auch recht, hier mit mir? Die ersten Tage, als die Fragen keine Fragen sind.

Er ist in Berlin, und er hat diese junge Frau. Er kann sie jederzeit berühren, aber oft schaut er nur, voller Entzücken über eine Stelle, die Biegung ihres Halses, ihre schwingenden Hüften, wenn sie durch den Raum geht. Alles ist für ihn, scheint sie zu sagen, was immer er an ihr findet, kann er haben.

Eine Weile leben sie wie unter einer Glocke, eher gleichgültig gegen das, was draußen ist, die ungeheure Teuerung, die sie doch betrifft, die allgemeine Unruhe, den geistigen Bankrott. Einzig die Vermieterin macht ihm Sorgen. Bei der Schlüsselübergabe am Mittwoch hat er

Dora mit keinem Wort erwähnt, und nun ist man sich bereits mehrfach begegnet, einmal ist es zu einer kleinen Unterhaltung gekommen, man hat sich freundlich bekannt gemacht, aber er ahnt, dass sich das von heute auf morgen ändern kann.

Zu Emmy sagt er in den ersten Tagen: Ich bin noch gar nicht da. In die Stadt wage ich mich heute zum Beispiel erst zum zweiten Mal. Sie haben sich am Bahnhof Zoo vor der Wechselstube verabredet, es herrscht großes Gedränge, die eingetauschte Summe ist zum Fürchten, selbst wenn es umgerechnet keine zwanzig Dollar sind. Emmy sagt: Ihr hättet zu keinem schlechteren Zeitpunkt kommen können, schlimmer kann es kaum werden. Aber sie wirkt fröhlich, sagt ein paar Sätze über Dora, die ihn freuen, kommt auf Max, mit dem sie erst gestern telefoniert hat. Die schlechte Luft macht dem Doktor zu schaffen. Kaum ist er hier im Zentrum, beginnt der Husten. Emmy sieht ihn sorgenvoll an und zieht ihn schnell fort in Richtung Aquarium, wo es angenehm still und dunkel ist, beinahe wie im Kino. Die Tiere sind weit weg hinter Glas. Fische in allen Farben und Größen sind zu sehen, leuchtende Quallen, vor denen sich Emmy ekelt, weiter im Inneren die Haie. Jetzt fürchtet sie sich oder tut doch so. Der Doktor nimmt sie in den Arm, als müsse er sie beschützen, na, warum auch nicht. Sie riecht gut, denkt er, nur sehr kurz, während er sie im Arm hat, dass auch sie infrage hätte kommen können, in einem anderen Leben, wenngleich er sie im Grunde nur flüchtig kennt.

An die Eltern hat er bereits geschrieben. Geantwortet hat Elli, die sich aus der Ferne sorgt, denn aus der Ferne wirken die Dinge schnell gefährlich, während sie vor Ort beinahe Gewohnheit sind. Allerdings ist das Gegenteil ebenso wahr. Man muss nur die Augen aufmachen oder die hiesigen Zeitungen lesen, am Rathaus in den Schaukästen den Steglitzer Anzeiger, der zu seiner täglichen Lektüre geworden ist. Aber er hat ja unbedingt nach Berlin gewollt. Meistens überfliegt er die Seiten nur. Erst am Vormittag hat er einen regelrechten Anfall von Zahlenwahn gehabt, was aber leider nicht alles ist, die eigentliche Lektion steht ihm erst noch bevor. Im Botanischen Garten auf einer Bank bei herrlichstem Sonnenschein geht eine Gruppe Mädchen an ihm vorbei; wie ein Liebesabenteuer fängt es an. Eine hübsche lange Blonde, Jungenhafte, die ihn kokett anlächelt, das Mäulchen aufstülpt und ihm etwas zuruft. Das ist, so scheint es, der Vorfall. Er lächelt überfreundlich zurück, noch als sie sich später mit ihren Freundinnen öfter nach ihm umdreht, lächelt er, bis ihm allmählich aufgeht, was sie gesagt hat. *Jud* hat sie gesagt.

Das Foto, das er im Kaufhaus Wertheim Anfang Oktober von sich anfertigen lässt, ist für die Eltern. Über den Preis kann man nur erschrecken, aber auch sonst ist er keineswegs zufrieden. Der rechte Hemdkragen hat eine hässliche Falte, was nun leider nicht mehr zu ändern ist, Krawatte, Anzug und Weste scheinen so weit in Ordnung. Richtig getroffen fühlt man sich auf Fotos ja selten, trotzdem muss er sich eingestehen, dass ihn das Foto schockiert. Er sieht wie ein ältlicher Primaner aus. Schrecklich sieht er aus. Die Ohren stehen ab, die großen Augen schauen wer weiß wie feinsinnig. Von Dora keine Spur. Warum lächelt er nicht? Na gut, ein klitzekleines Bisschen scheint er zu lächeln, es gibt einen zarten Abdruck, einen leisen Glanz, könnte man sagen, mit etwas gutem Willen, falls er ihn aufbringt, auf der Rückfahrt in der Straßenbahn, bevor er zurück im stillen Steglitz ist.

Ottla hat ein Paket mit Butter geschickt und möchte wissen, wie es ihm geht, stellt sich vor, wie das ist, die ersten Tage mit dieser Frau. Man merkt, dass sie leise zweifelt, der Doktor hat sich mit Nähe seit jeher schwergetan, außerdem kennen er und Dora sich ja erst kurz. Ist sie gerade bei dir? Bist du lieb und nett zu ihr? Was ja so klingt, als müsse Dora vor ihm in Schutz genommen werden. Aber nichts ist unnötiger als das, von Vorbehalten keine Spur. Und ja, sie ist bei ihm, nicht rund um die Uhr, aber doch so oft, dass er sich an sie gewöhnt, es gibt einen gewissen Rhythmus, das meiste wie von selbst, als wäre es nie anders gewesen.

Elli hat geschrieben und ihm Vorwürfe gemacht. Sie nennt es reinen Mutwillen, dass er nach Berlin gefahren ist, zweifelt seine Verlässlichkeit und Wahrheitstreue an und begründet ihre Sorgen wie üblich mit Gewichtsfragen. Manches gibt er durchaus zu. Er ist in Müritz nicht dick geworden und nicht in Schelesen, wo er erst zu- und dann abgenommen hat, und genau in dem Augenblick, bevor es für immer zu spät gewesen wäre, ist er in den Zug nach Berlin gestiegen und würde es jederzeit wieder tun. Versteht sie das denn nicht? Hat sie Dora nicht kennengelernt? Er hat wenig Lust, ihr zu schreiben. Nicht auf diese Weise, als müsse er sich rechtfertigen, ausgerechnet vor Elli, die von Anfang an dabei gewesen ist und gesehen hat, welches Glück das Mädchen für ihn ist.

Er hat darum gebeten, Geld zu schicken, in einfachen Briefen, häppchenweise kleine Beträge, weshalb die Nabelschnur vorläufig nicht zerschnitten werden kann.

Das Wetter ist leider sehr wechselhaft. Die letzten Tage hat es praktisch nur geregnet, er hat sich nicht direkt verkühlt, aber er spürt die Wirkung der Stadt, die alles andere als günstig ist, er hat sich überanstrengt, bereut, dass er zu Puah in die Steinmetzstraße gefahren ist, zumal er den Eindruck nicht loswird, dass sein Kommen sie nicht freut. Sein Hebräisch hat seit Monaten keine nennenswerten Fortschritte gemacht. Sie begrüßt ihn fast förmlich, fragt nach Dora, mehr aus Höflichkeit denn aus Interesse. Spricht nicht Dora sehr gut Hebräisch? Er denkt an den herzlichen Abschied in Müritz, enttäuscht, dass so wenig davon geblieben ist, Anfang August ist das erst gewesen. Auf dem Rückweg in der Straßenbahn fühlt er sich seltsam matt, er geht früh zu Bett, gegen elf kommt wie bestellt der Husten, harmlos der Qualität nach, wie er später an Max schreibt, ärgerlich in der Quantität.

Den nächsten Tag verlässt er kaum das Bett. Er steht wie üblich nach sieben auf, legt sich zwei Stunden später wieder hin, lässt im Halbschlaf Gabelfrühstück und Mittagessen an sich vorüberziehen, bevor er sich um fünf endlich aus dem Bett quält. Dora kümmert sich rührend, auf eine unsichtbare Art, sodass sich seine Schamgefühle in Grenzen halten. Sie verbietet ihm, bei Regen in die Stadt zu fahren, auch die Einkäufe will sie übernehmen, alles in einem scherzhaften Ton, der ihm nicht ganz neu ist. Ottla spricht gelegentlich so mit ihm, wenn sie sich sorgt, als Zeichen ihrer Verbundenheit.

Ich passe nicht gut auf dich auf, sagt Dora, ich bin zu viel fort. Dabei sehen sie sich fast jeden Tag. So wie es sich anfühlt, ist sie immer da oder im passenden Moment weg, die drei Stunden, die er mit Dr. Weiß zusammensitzt, bevor sich dieser plötzlich entschuldigt, die längste Zeit nervös, verbittert-fröhlich, außer in der halben Stunde mit Dora.

Er hat noch immer keinen festen Tagesablauf. Unmerklich und untätig verfliegen die Tage, er macht die Post, aber mehr ist da nicht. Dauernd muss er los zum Geldwechseln, man isst, man hat zu reden, lernt sich kennen. Richtig schwierig ist nichts. Nicht jede Erkundung gelingt auf Anhieb, es gibt Empfindlichkeiten, Hindernisse, die man in sich wegräumen muss, an diesem zauberhaften Wesen liegt es ja bestimmt am allerwenigsten. Manchmal erfüllt ihn Stolz, dann möchte er sie überall zeigen, schaut her, was ich da habe, als wäre sie seine Beute. Gestern, während des Besuchs von Weiß, war die Empfindung sehr stark, wenn sie kam und etwas brachte, als sie sich kurz setzte.

Also leben sie mehr oder weniger als Paar. Das Zimmer ist nicht sehr groß, wenn die Dinge sich weiter so angenehm entwickeln, werden sie eine Wohnung suchen müssen, doch vorläufig ist er mit den Verhältnissen vollauf zufrieden. Abends, wenn sie geht, ist er nicht erleichtert und nicht bekümmert. Sie lässt oft Dinge für ihn liegen, einen Schal, einen Ring, den sie beim Spülen abgenommen hat, auf dem Sofakissen ein Haar, einen Fetzen Doraduft im Flur, einen Rest Stimme, während er sich der Stille des Abends überlässt.

Bis Ende des Jahres mindestens will er bleiben.

Wenn es das Wetter zulässt, geht er weiterhin spazieren, oft in den Botanischen Garten, wo man in den Glashäusern die seltensten Blumen und Pflanzen studieren kann. Es regnet, doch ist es bislang nicht sonderlich kalt, man kann im Jackett gehen, aber wahrscheinlich nicht mehr lang. Er braucht etwas für den Winter, einen Mantel, Kleider, Wäsche, einen Schlafrock, vielleicht einen Fußsack.

Eventuell kann Max etwas davon bringen, oder er steigt in den Zug und holt sich die Sachen ab. Den Eltern hat er bei seiner Abreise gesagt, er bleibe nur ein paar Tage, und jetzt sind es schon Wochen, er hat ein schlechtes Gewissen, aber nicht allzu sehr, außerdem wäre er bei einem Besuch auf der Stelle wieder der Sohn, und das möchte er auf keinen Fall.

FÜR DORA IST FÜRS ERSTE ALLES GUT. Sie hatten diese durchwachte Nacht, seither ist der Husten nicht zurückgekehrt, sie wird aber genauer auf ihn aufpassen. Es ist weiterhin kühl, es regnet, für wenige Stunden scheint die Sonne, bevor es neuerlich regnet. Der Dollar steht bei vier Milliarden Mark, sie müssen sparen, aber sie fühlt sich jung, sie lebt mit diesem Mann, den sie gerade drei Monate kennt und der ihr jede nur denkbare Freiheit lässt. Sie kann kommen und gehen, wann sie will, arbeitet stundenweise für lumpiges Geld im Volksheim, redet mit Paul, trifft sich mit Judith. Beide sagen ihr, wie gut sie aussieht, fragen sie aus, wie es ist. Ist es, wie du es dir erträumt hast? Darauf könnte sie natürlich einiges antworten, doch sie zieht es vor, zu nicken, sie strahlt, als würde sie sich an etwas erinnern, ein Detail, auf das sie bisher nicht geachtet hat, bloß wen um Himmels willen geht das eigentlich etwas an.

Eine Weile glaubt sie tatsächlich, dass man ihnen alles anmerkt, wenn sie zusammen aus dem Haus gehen, als wären da überall Spuren, irgendein Leuchten, ein Geruch, der geblieben ist, auf der Haut ein Abdruck, für ein paar Stunden an der Stelle am Hals, wo er sie geküsst hat.

Manches ist ihr auch fremd. Er isst seit Jahren außer Geflügel kein Fleisch, er kaut ewig lang, nach der Methode eines Arztes, er hat komische Wach- und Schlafzeiten. Er sieht müde aus, um die Augen sind Schatten, was von den schlechten Nächten kommt, wobei sie sich fragt, ob er in diesen Nächten schreibt oder keinen Schlaf findet oder erst schreibt und dann nicht schläft. Nachts in ihrem Zimmer denkt sie lange an den zurückliegenden Tag, ihre Gespräche über Palästina, einen Scherz beim Einkaufen, wie er beim Essen aufsteht und sie von hinten umarmt. Was sie reden, ist schnell weg. Auch von seinen Liebkosungen behält sie nur Umrisse, ein wogendes Auf und Ab, die Seufzer, hin und wieder ein Wispern, ohne genaue Reihenfolge. Richtig gekannt hat sie sich bislang nicht. Das sagt sie ihm bei jeder Gelegenheit, dass sie sich erst kennt, seit sie bei ihm ist. Alles hat geschlafen, alles war für dich, nur dass ich dich nicht kannte. Oder besser: Ich kannte dich, ich wusste nur leider nie, wo ich dich finde, und dann am Strand habe ich dich gefunden.

Ihr Vater würde sagen, dass er gar kein Jude ist. Er hält den Sabbat nicht ein, er kennt nicht die Gebete, und dafür willst du meinen Segen?

Auch die Vermieterin scheint unzufrieden mit ihnen zu sein. Man merkt, wie sie die Stirn runzelt, wenn es zu Begegnungen kommt, spätabends, wenn längst Schlafenszeit ist, oder frühmorgens, wenn sich unweigerlich die Frage stellt: Bleibt das hübsche Fräulein etwa über Nacht?

Einmal kommt sie mit zwei Möbelpackern, um wie angekündigt das Klavier zu holen. Es ist halb zehn, sie sitzen beim zweiten Frühstück, und das einzig Peinliche ist, dass Frau Hermann so tut, als wäre etwas Peinliches daran, und sogar eine Bemerkung darüber macht: Sie habe sich dem Doktor gegenüber wohl nicht deutlich genug ausgedrückt, seit dem Ende des Krieges sei offenbar kein Stein auf dem anderen geblieben und dergleichen Anspielungen mehr. Die beiden Möbelpacker kümmern sich zum Glück nur um das Klavier. Sie sind um die dreißig, zwei Berliner, die aus Gewohnheit fluchen, aber man sieht die Kraft, die Leichtigkeit, mit der sie das Instrument in Richtung Tür bugsieren. Franz ist voller Bewunderung. Noch als sie unten auf der Straße sind, steht er am Fenster und beobachtet, wie sie sich bewegen und dann lachen und bald wegfahren, sodass der Vorfall mit der Vermieterin rasch vergessen ist.

Obwohl sie sich die Ausgabe nicht leisten können, haben sie eine große Petroleumlampe gekauft. Die kleine gab nur wenig Licht, sie haben praktisch dauernd im Dunkeln gesessen, die Tage werden kürzer und kürzer, ab fünf ist stockfinstere Nacht. Dora mag die dunkle Jahreszeit, die langen Abende nach der Arbeit im Volksheim, sie haben viel Zeit. Mit der neuen Lampe allerdings ist es ein Kampf. Sie hat ein halbes Vermögen gekostet, aber jetzt brennt sie nicht mal richtig, jedenfalls nicht bei Franz, bei dem sie nur qualmt und stinkt. Er könnte sich kaum ungeschickter anstellen, aber eben deshalb haben sie viel Spaß, er macht der Lampe, um sie zu gewinnen, Komplimente, lobt und preist ihr Licht, leider vergebens. Augenscheinlich mag ihn die Lampe nicht. Er verlässt das Zimmer. Dora soll der Lampe sagen, er sei nicht hier, vielleicht brennt sie dann, was hat diese Lampe nur um Himmels willen für Gedanken, und siehe da, als er weg ist, gehorcht sie aufs Wort.

Dass er ein Schriftsteller ist, hat sie bislang kaum gemerkt. Er schreibt Briefe, Postkarten. Ist es das, was ein Schriftsteller tut? Einmal kommt ein Brief, der ihm zu schaffen macht, er sagt, eine Aufstellung der verkauften Bücher. Er wirkt bedrückt, ja niedergeschmettert, einen halben Tag, doch länger nicht. Sie lässt ihn den Nachmittag in Ruhe, bekümmert über einen Kummer, der nicht der ihre ist, als müsse sie nur warten, bis er sie wieder bemerkt, auf den ersten Satz, beim Essen das erste Lächeln.

Einmal wollen sie ins Kino. Bislang sind sie an den Abenden zu Hause geblieben, aber weil am Morgen ein Brief mit fünfzig Kronen gekommen ist, soll das Geld ausnahmsweise keine Rolle spielen, zumal es Kinos an jeder Ecke gibt, auch in Steglitz, Plakate mit atemberaubenden Szenen, schönen Männern und Frauen, die wer weiß was versprechen. Aber irgendwie kommt es nicht dazu. Man ist bereits unterwegs und beginnt sich zu besinnen, man steht in der Schlange vor der Kasse und greift sich im letzten Moment an den Kopf. Von Enttäuschung keine Spur. Dora sagt, dass sie noch gehen will, ihr genügt es, im kaum erhellten Steglitz die Auslagen in den Geschäften zu studieren. Ach Franz, sagt sie. Läuft das Kino ihnen etwa davon? Dora findet, nein. Ein andermal, sagt sie, später, wenn das hier vorbei ist, ohne im Geringsten zu wissen, wann das sein wird.

Würde sie ihr Leben aufschreiben, würde sie nur Kleinigkeiten notieren, denn am größten, findet sie, ist das Glück, wenn es winzig klein ist, wenn er sich die Schuhe bindet, wenn er schläft, wenn er ihr durchs Haar fährt. Immerzu macht er etwas mit ihren Haaren. Er hat sie schon gekämmt, er hat sie gewaschen, was ebenso schön wie seltsam war. Ihre Haare, sagt er, riechen nach Rauch und Schwefel, nach Gras, ab und zu nach Meer. Er sagt, dass er nicht fertig wird mit ihr. Wäre er eines Tages fertig, müsste er auf der Stelle tot umfallen, und so bin ich im Grunde unsterblich.

Es gibt die ersten Lebensmittelunruhen in der Stadt. Insbesondere Bäckerläden sind betroffen, die Leute wollen Brot, stehen in großen Gruppen bis auf die Straße. Tile, die am Nachmittag mit einem jungen Maler zu Besuch kommt, hat eine solche Szene mit eigenen Augen gesehen, mehr gehört als gesehen, das Grummeln der vor Hunger wie betäubten Menge, die vereinzelten Schreie, wenn sich hinter den verrammelten Türen des Ladens etwas bewegte und alle forderten, gebt das Brot raus.

Tile wirkt nicht sonderlich glücklich bei ihrem Besuch. Offenbar hat sie erwartet, Franz allein anzutreffen, und erst in der Tür, beim Anblick Doras, begreift sie, dass die beiden ein Paar sind, Mann und Frau, während sie nur ein Mädchen ist, eine Sommerbekanntschaft, die drei Stunden lang kaum den Mund aufmacht. Den Maler hat sie, scheint es, nur aus Anstandsgründen mitgebracht, man hat sich nicht viel zu sagen, oder doch: Der Maler ist zurzeit in einer Ausstellung am Lützowufer vertreten, eine Handvoll Aquarelle mit Meeresszenen, Wasserlandschaften mit Dünen, getürmten Wolken, bei verschiedenen Lichtverhältnissen. Und Tile? Ja, sie tanzt, stellt sich heraus, obgleich die Sache mit den Eltern weiter in der Schwebe ist. Franz sagt, dass er fest an sie glaubt, worauf sie nach seiner Arbeit fragt. Schreibt er an einem neuen Buch? Franz scheint einen Moment zu überlegen, dann sagt er, nein, ein neues Buch, nicht dass ich wüsste.

Sein Beruf ist das Schreiben nie gewesen. Er war in dieser Anstalt, irgendetwas mit Versicherungen, jetzt ist er pensioniert, es gibt ein paar Bücher, die sie nicht kennt und für ihre Liebe nicht braucht. Gingen sie nach Palästina, sagt er, würde ihnen sein Schreiben nichts helfen, er müsste etwas lernen, eine Arbeit mit den Händen, etwas, das den Menschen wirklich nützt.

Wenn ich schreibe, bin ich unausstehlich.

Die nächsten Tage spielen sie das Palästina-Spiel, wie das wäre, er und sie in einem Land nur mit Juden. Das Wetter wäre allerdings herrlich, sie könnten zusammen ein Restaurant eröffnen, in Haifa oder Tel Aviv, so in etwa geht der Traum. Sollen wir? Was meinst du? Kochen müsste natürlich sie, während er der Kellner wäre, wie die Welt noch keinen gesehen hat, allein die Vorstellung bringt sie beide sofort zum Lachen, so tollpatschig wie er nun mal ist. An der Straße ein kleines Lokal, sodass man draußen sitzen kann. Nur ein paar Tische, stellen sie sich vor, was nicht heißt, dass sie daran glauben.

Auch an die Gärtnerschule in Dahlem glauben sie nur kurz. Franz hat erzählt, wie er sich vor Jahren als Gärtner versucht hat, aber damals war er nicht so schwach. Ein Bekannter, der die Schule kennt, rät entschieden ab, die Arbeit sei schwer, ob man jemanden in seinem Alter nehme, fraglich, Leute auf Arbeitssuche gebe es genug. Franz wirkt ein wenig ernüchtert, zumal die Enttäuschung wie immer er selbst ist, neulich die beiden Männer, die das Klavier holten, haben es ihm aufs Neue vor Augen geführt.

Eines Tages lernen sie im Park ein kleines Mädchen kennen. Es steht mutterseelenallein in der Wiese und weint, deshalb sprechen sie es an. Es kann kaum reden, so sehr weint es, es hat seine Puppe verloren, hier, irgendwo im Park. Anfangs versteht man kein Wort, das Mädchen zeigt sehr aufgeregt in verschiedene Richtungen, offenkundig hat es die Puppe schon überall gesucht. Sechs, sieben Jahre ist das arme Ding, nie nie wieder wird es eine so schöne Puppe haben. Gestern Nachmittag hat es sie zuletzt gesehen. Mia scheint die Puppe zu heißen, oder ist das sein eigener Name?

Allmählich beruhigt es sich. Also hör zu. Ich weiß, wo deine Puppe ist. Das sagt Franz. Er hat sich zu dem Mädchen heruntergebeugt, er kniet vor ihm im Gras und erfindet aus dem Stegreif die Geschichte. Sie hat mir einen Brief geschickt, wenn du willst, bringe ich ihn morgen mit. Das Mädchen blickt ihn zweifelnd an. Einen Brief? Wie ist das möglich? Eigentlich ist es nicht möglich. Von meiner Puppe? Wie heißt deine Puppe denn? Das Mädchen sagt, dass sie Mia heißt. Eben von einer Puppe namens Mia habe er heute Morgen Post bekommen. Ihre Schrift sei nicht leicht zu lesen, na gut, aber geschrieben hat ihn eindeutig Mia. Franz lässt ihr Zeit, lächelt sie aufmunternd an, die Szene ist doch einigermaßen rührend. Nach anfänglichem Bedenken scheint das Mädchen die Sache für möglich zu halten. Sie beginnt zu glauben. Man wird sich einig, verabredet sich für morgen Nachmittag. Franz kniet noch immer vor ihr im Gras, fragt, ob sie auch bestimmt komme, seltsam feierlich, fast streng, als hänge, wie damals in Müritz, sein Leben davon ab.

3

NACH VIER WOCHEN kommt er allmählich an. Obwohl er kaum schreibt, hat er erstaunlich viel zu tun, kümmert sich hingebungsvoll um Emmy, telefoniert fast täglich mit ihr, hat sie bei sich im Zimmer, wo er sie so gut es geht zum Lachen bringt, damit sie nicht dauernd an Max denken muss, der auf die Hochzeit seines Bruders fahren will anstatt zu ihr nach Berlin, was für die arme Emmy eine riesengroße Enttäuschung ist.

Dauernd muss er vermitteln oder jemanden beschwichtigen oder sich rechtfertigen. Er schreibt an Max, der sich beschwert, dass er nichts hört, dem Direktor der Anstalt, der davon abgehalten werden muss, wegen Berlin die Pension zu kürzen. Letzte Woche hat er Dora in ein vegetarisches Restaurant in der Friedrichstraße eingeladen, er möchte weiterhin ins Kino, ins Theater, und stattdessen hat er da nun dieses Mädchen aus dem Park. Es wundert ihn selbst, wie wichtig ihm die Sache ist, jedenfalls nimmt er sich erstaunlich viel Zeit, berät sich mit Dora, der er alles gleich vorliest, die Abenteuer einer Puppe.

Eine Weile haben sie sozusagen ein Kind. Die Puppe ist vom Park in Richtung Bahnhof gelaufen und ans Meer gefahren. Leider hat sie kein Geld, deshalb ist es ein großes Glück, dass ein kleiner Junge die Fahrkarte für sie bezahlt. Einige Tage ist sie am Meer, dann findet sie das Meer langweilig, sie möchte auf die andere Seite des Ozeans, besteigt eines Nachts ein Schiff, von dem sie glaubt, dass es nach Amerika fährt, aber leider landet es in Afrika. So weit ist er nach drei Briefen gekommen.

Nachmittags im Park werden sie regelmäßig erwartet. Das Mädchen ist vor Kurzem in die Schule gekommen, deshalb kann es noch nicht lesen, auch einen Namen hat es, Katja, was, wie es erklärt, von Katharina kommt. Das Wetter ist gut, man setzt sich in die Wiese, dann der neueste Brief, in dem steht, dass jede Sorge überflüssig sei, auch als Puppe habe man eben Lust, zwischendurch zu verreisen, spätestens Weihnachten will sie zurück sein.

Außer diesen Briefen hat er seit Wochen nichts zustande gebracht, im Grunde das ganze Jahr 1923 kaum etwas, obwohl: Irgendwas schreibt man natürlich immer, er hat verschiedene Hefte, das Tagebuch, lose Zettel, auf denen das eine oder andere notiert ist. In einem Brief an Max hat er großspurig von seiner *Arbeit* gesprochen, die er hier in Berlin fortsetze, dabei sind es nur Versuche, Skizzen zu einem neuen Roman, Anfänge, Fragmente, ab und zu eine Kleinigkeit, mit der er fertig wird und die man am besten bei Gelegenheit ins Feuer wirft.

Katja fragt: Und wenn sie lieber in Afrika bleibt, was dann? In der Tat ist es inzwischen fraglich, ob die Puppe zurück will, denn sie hat sich im fernen Afrika verliebt, in einen Prinzen, sofern man ihre Andeutungen richtig versteht, nun gut, das kommt vor. Katja fragt: Hat sie den Prinzen lieber als mich? Halb möchte sie es nicht wahrhaben, sie hat Tränen in den Augen, halb beginnt sie sich zu fügen, sie hat davon gehört, in Märchen gibt es Prinzen, aber auch in Afrika?

Ein paar Tage, wie gesagt, ist das sehr nett, wie sich das kleine Wesen freut und kein Detail vergisst, sich wappnet für den Fall der Fälle, eines Tages, als die Puppe gesteht, dass sie so bald nicht komme. Der Prinz, stell dir vor, hat um meine Hand angehalten! Vierundzwanzig Stunden hat sie Bedenkzeit, aber die braucht sie nicht, sie möchte den Prinzen heiraten. Dora hätte lieber ein anderes Ende. Man könnte eine neue Puppe kaufen und sagen, dass es die alte ist, Mia habe sich auf ihrer Reise verändert, aber es sei weiter die alte Mia. Nein? Der Doktor findet, nein. Es muss auch eine Lehre sein. Im letzten Brief wird er schreiben, dass die Puppe sehr glücklich ist. Hätte das Mädchen besser auf sie aufgepasst, hätte sie den Prinzen nie kennengelernt. Ist es also gut, dass du nicht auf mich aufgepasst hast, oder eher nicht? Genauso gut könnte er sagen: Wäre vor Jahren nicht die Tuberkulose bei mir ausgebrochen, hätte ich vielleicht geheiratet, wäre ich jetzt nicht in Berlin bei dir. Ist es also gut, dass die Tuberkulose ausgebrochen ist, oder eher nicht?

Sonst fehlt ihnen nichts. Sie sind zusammen, sie haben Zeit, das ist das Einzige, was zählt. Einzig die hohe Miete bleibt eine Sorge, dafür dass es nur ein Zimmer ist, in dieser wunderbaren Gegend, na schön, aber nur ein Zimmer. Alle paar Tage steht die Vermieterin vor der Tür und nennt eine neue Summe. Ende August waren es vier Millionen, inzwischen ist der Preis auf sage und schreibe eine halbe Billion gestiegen. Es hat Spannungen wegen der Lichtrechnung gegeben, es gibt Spannungen wegen Dora. Eigentlich möchte er hier nicht weg, dennoch hat er bereits die Wohnungsanzeigen studiert, er möchte das Zimmer kündigen. Eines Abends ist es heraus, bis Mitte November brauchen sie etwas Neues, wenn möglich in der Nähe. Er sagt, dass er zwei Zimmer will. Für den Fall, dass du am

Abend nicht fahren willst, wenn du zu müde bist, wenn ich dich nicht lasse, jeden Abend quer durch die Stadt in diesen Zeiten. Dora mag diese Zeiten. Die Zimmer sind ihr letzten Endes egal, die Frau Hermanns dieser Welt, sogar die Stadt wäre ihr wahrscheinlich egal. Jetzt freut sie sich, weil er gesagt hat: zwei Zimmer. Sie strahlt, drüben am Schreibtisch, wo sie manchmal steht, an die Seite gelehnt, das blühende Leben.

Als habe ihnen der Umzugsbeschluss neuen Schwung verliehen, wagen sie sich tags darauf in die Stadt, fahren gemeinsam in die Jüdische Hochschule, die mitten im Scheunenviertel liegt. Gibt es einen Nachteil ihres Lebens im Grünen, so besteht er darin, dass sie so fern von den Juden sind. Der Doktor möchte lernen, er weiß so wenig über die Gebräuche, die Gesetze, die Gebete. Auch Dora möchte lernen, dabei kennt sie alles von Kindesbeinen an, hat auch keine Scheu, ihm zu sagen, dass sie abends in ihrem Zimmer betet, sie feiert den Sabbat, hält sich an die Regeln, kennt die Schrift, die für ihn nur eine Ansammlung von Geschichten ist, mit einer Botschaft, die für ihn nicht gilt.

Er versucht es weiter mit dem Theater, doch der Volksfeind mit Klöpfer ist auf Wochen hinaus ausverkauft und das Schillertheater unbezahlbar, und so sieht er statt Kortner das verheulte Gesicht von Emmy, die ihn begleitet hat und deren Forderungen an Max so klettern wie die Preise. Max soll sich endlich entscheiden, worunter sie versteht, dass er seine Frau verlassen soll, alle vier Wochen Berlin sind ihr einfach nicht genug. Einmal, bei dem Wort Pflicht, wird sie sehr ungehalten, aber sonst ist sie eher kleinlaut, erzählt von ihrem letzten Telefonat, das beglückend gewesen sei, berichtet von ihren Proben, dass sie Aussicht hat, in einem Kirchenkonzert zu singen. Richtig interessant findet er das nicht, aber er schaut sie nach wie vor gerne an, er mag ihr Parfüm, ihre Anfälle von Anschmiegsamkeit, wenn sie seine Hand nimmt und nicht loslässt, wie sie ihn anblickt, als wäre da ein zweite Emmy, die, während die erste jammert, noch ganz andere Absichten hat. Vielleicht sollte es ihn irritieren, dass sie ihn zum Abschied küsst, aber dann sagt er sich, was soll's, schließlich ist sie Schauspielerin, für Schauspieler ist es nichts anderes als eine Gewohnheit.

Dabei ist sie eigentlich nicht sein Typ.

Er hat sich immer von dunklen Frauen angezogen gefühlt, Frauen mit tiefen, kehligen Stimmen, was auf Emmy nicht zutrifft. Dora hat so eine Stimme, auch M., wenngleich man sich an Stimmen bekanntlich schwer erinnert.

Das Komische ist, dass er sich nicht fürchtet, nicht an der Seite dieses Mädchens, obwohl die Preise schwindel-erregend sind, allein in der letzten Woche haben sie sich versechsfacht, alles kostet knapp hundertmal so viel wie vor dem Krieg. Aber eine neue Bleibe haben sie. Er hatte Glück, denn die Annonce im Steglitzer Anzeiger war leicht zu übersehen, aber dann ging es sehr schnell, er musste nur kurz telefonieren und einen Besichtigungstermin ver-einbaren, dann war man sich einig.

Die Wohnung ist praktisch um die Ecke, zwei Straßen weiter in einer kleinen Villa mit hübschem Garten, wie er an die Eltern schreibt, zwei schön eingerichteten Zim-mern im ersten Stock, von denen eines, das Wohnzimmer, so sonnig ist wie sein jetziges, während das kleinere, das Schlafzimmer, nur Morgensonne hat. Auch ein drittes, mittleres Zimmer gibt es, es wird von der Vermieterin bewohnt. Aber mit dieser kleinen Unannehmlichkeit, so hofft er, wird man sich arrangieren. Sogar von Dora ist die Rede gewesen, jedenfalls hat er nicht verschwiegen, dass er mehr oder weniger mit einer Frau lebt. Nun gut, man wird ja sehen, wie sich das entwickelt, angeblich wird das Zimmer nur zum Schlafen benutzt, denn Frau Rethmann ist Ärztin und arbeitet von morgens bis abends in ihrer Praxis am Rheineck.

Es ist die schönste Wohnung, die er je hatte.

Dora freut sich sehr auf das elektrische Licht, dass es eine funktionierende Heizung gibt, denn in der Miquelstraße hätten sie im bevorstehenden Winter nur gefroren, Fenster und Türen schließen schlecht, das Gas brennt nicht richtig, vom dauernden Ärger mit Frau Hermann abgesehen. Sie finden, sie haben großes Glück. Dora muss bald los, sie hat sich mit Judith verabredet, aber vorher muss sie sagen, worauf sie sich am meisten freut. Ja, soll ich dir das sagen? Sie hat etwas mit ihren Haaren gemacht, deshalb sagt er etwas zu ihren Haaren, für einen Moment möchte er sie nicht gehen lassen, aber dann doch, vielleicht bringt er ja heute Abend noch etwas zustande.

4

DER LETZTE MIQUELSTRASSEN-BESUCHER ist Max, der einen Koffer voll Wintersachen bringt und sehr freundlich ist und fremd. Ob sie ihn mag, weiß sie nicht. Vielleicht hat sie zu viele Geschichten über ihn gehört, vielleicht ist sie eher auf Seiten Emmys.

Die beiden sitzen am Tisch, als sie dazukommt, reden über Politik, etwas, das vor Kurzem passiert ist. In München, hört sie, hat es einen Putschversuch gegeben, der glücklicherweise niedergeschlagen worden ist. Sie reden über den Mann, der den Putsch angeführt hat, einen schlimmen Antisemiten, was es für die Juden bedeutet, dass es so einen Mann gibt. Zwei, drei Minuten steht sie in der Tür und hört zu, mit einem Anflug von Eifersucht, doch danach wird es überraschend unkompliziert, Franz ist furchtbar stolz, dass er sie endlich zeigen kann, Max gibt ihr artig die Hand und sagt: Sie also sind Dora.

Er ist viel älter als Franz, hat sie das Gefühl, durch und durch ein Mann, was immer das heißen mag, sehr ehrenwert, verheiratet, ein bisschen langweilig, findet sie, jemand, der die Welt kennt, die Städte, die Frauen, alles gesehen und probiert hat, nicht selten mit schlechtem Gewissen, wie es scheint, mit einer Begabung zum Drama. Das hat sie von Franz, der sich einmal kritisch in die Richtung geäußert hat. Man sitzt eine Weile zusammen, redet über die Preise, das Theater, zwischendurch fällt der Name Emmy, aber offenbar haben sie das Thema Emmy bereits erledigt. Später gibt es einen kleinen Imbiss, man plaudert, kommt auf Müritz, wie sie sich kennengelernt haben, die ellenlange Geschichte.

So vergeht der Abend. Gegen elf bricht Max auf, unten auf der Straße gibt er ihr noch Ratschläge. Ich freue mich für euch, sagt er. Sie kümmern sich so nett, bitte hören Sie nicht auf damit, Franz ist mitunter schwierig, aber er ist der wundervollste Mensch, den ich kenne. Ja, sagt sie, ich weiß, während sie in Wahrheit denkt: Was weiß ich schon, und andererseits: Was weiß denn dieser Mann, was weißt du von seinen Händen, seinem Mund, gar nichts weißt du.

Er ist der beste Freund von Franz.

Zu der neuen Wohnung hat er nicht viel gesagt. Ob sie nicht zu teuer ist? Franz hätte sie gerne gezeigt, aber dazu hat die Zeit nicht gereicht, auch Dora besichtigt sie erst Tage später und findet sie beinahe noch schöner als von Franz beschrieben. Die Vermieterin wirkt sympathisch, sie ist um die vierzig, etwas herb in ihrem grauen Kostüm, auf eine vornehme Art zurückhaltend. Das Geld für die Heizung möchte sie trotzdem vorab. Der Betrag ist ein Schock, tatsächlich verlangt sie für die Kohle fast so viel wie für die Miete. Man merkt Franz an, dass er kurz denkt, das machen Sie nur, weil ich Ausländer bin, aber dann zeigt sie ihnen die Rechnung, findet die Summe selbst verrückt, hat ein freundliches Wort für Dora, die sie für seine Verlobte hält, niemand stellt es richtig.

Und was jetzt? Es ist später Nachmittag, man könnte ein wenig gehen und sich freuen, dass es auf der Welt nicht nur Frau Hermanns gibt, und so oder so ähnlich sagt sie es auch, macht eine Bemerkung zu seinem Hemd, das sie noch nicht kennt, was für ein schöner Mann er doch ist. Den ganzen Abend haben sie es sehr fein, das Geld ist weg, aber es ist nur Geld, Hauptsache, sie sind Frau Hermann los. Vielleicht schreibt er ja über sie, sagt Franz. Ja, wirklich? Sie ist überrascht, denn bislang hat er über seine Pläne kein Wort verloren. Sie hat sich oft gefragt, worüber er schreibt, und jetzt, stellt sich heraus, schreibt er über ihr Leben in Berlin.

Als Frau Hermann ihnen kündigt, sind sie trotzdem überrascht. Angeblich hat es Beschwerden gegeben, im Haus, in der Nachbarschaft, behauptet sie, man erspare ihr die Details, sie sei nicht prüde, aber so gehe es leider nicht mal bei uns in Berlin. Sie wendet sich nur an Franz, während sie Dora wie Luft behandelt, ähnlich wie gestern Abend, als sie kaum gegrüßt hat, so mit einem Zischen, dass man gleich merkte, wie wütend sie war. Um diese Zeit unterwegs? Die halbe Rückfahrt hat sich Dora darüber geärgert, und jetzt, beim Frühstück am nächsten Morgen, spaziert sie einfach herein und macht ihnen eine Szene. Ihre Stimme klingt ziemlich schrill, offenkundig hat sie mit Widerstand gerechnet, doch als Franz sich nicht weiter äußert, dreht sie sich schnell weg und geht zurück in ihr Zimmer.

Eine Weile ist Franz empört, er kann sich nicht erinnern, jemals so behandelt worden zu sein, obwohl er schon mit einigen Vermietern zu tun gehabt hat. Mit Zimmern und Häusern, stellen sie fest, kennen sie sich aus, bei Franz waren es etwa ein Dutzend, die Hotels, Pensionen, die Sanatorien nicht gerechnet. Auch Dora ist oft umgezogen, allein in Berlin in den letzten drei Jahren fünfmal. An das Elternhaus in Pabianice erinnert sie sich kaum, aber das große Zimmer in Bedzin kurz nach dem Tod ihrer Mutter weiß sie noch. In Krakau, nachdem sie ihrem Vater weggelaufen war, wohnte sie im Keller und sah durch eine Luke die Leute auf dem Gehweg spazieren; in Breslau hatte sie ein Zimmer in der Nähe des Schlachthofs und danach am Bahnhof. Manches glaubt ihr Franz auf Anhieb nicht, den ersten Winter in einer Gartenlaube in Pankow, das winzige Zimmer über einem Tanzlokal und das noch winzigere an der Hochbahn. Man kommt doch ziemlich herum, stellen sie fest, dabei sind sie beide nicht sonderlich viel gereist, selbst Franz viel weniger, als sie gedacht hat, eigentlich war er nur in Italien, etwas Schweiz, Deutschland, Österreich. Sie möchte gern nach London oder Paris. Fährst du mit mir nach Paris? Sie hat vergessen, dass er dort schon gewesen ist, vor hundert Jahren mit Max, aber das zählt nicht, wenn er nur könnte, sagt er, würde er auf der Stelle mit ihr fahren.

Abends, in ihrem Zimmer, versucht sie sich vorzustellen, wie er mit Mitte zwanzig gewesen ist. Damals war sie ein kleines Mädchen, sie ging zur Schule, aber trotzdem: Es wäre alles gekommen wie in Müritz. Wo immer sie ihn entdeckt hätte, in einem Kaffeehaus mit Freunden, sie hätte gezittert und gehofft und ihn nie mehr vergessen. Franz sagt es so: Wenn ich dich früher getroffen hätte, wäre manches anders gewesen, aber früher konnte ich dich nicht treffen, der früheste Zeitpunkt war Müritz. Früher war ich nicht bereit. Es musste alles so geschehen, wie es geschehen ist, erst dann konnte ich dich haben und nach Berlin gehen und so leben, wie wir jetzt leben.

Am nächsten Tag ziehen sie um. Es ist mehr ein Spaziergang als ein Umzug, als würde man im Hotel das Zimmer wechseln, von einer Flurseite auf die andere. Dora ist seit dem Morgen da und hilft beim Packen, schickt ihn weg in die Stadt zum Essen, damit sie in Ruhe die Sachen transportieren kann. Zweimal muss sie hin und her. Draußen ist es frisch, aber halbwegs sonnig, eine Gruppe Kinder schaut ihr hinterher, sie wollen wissen, wohin sie reist.

In der neuen Wohnung muss sie erst mal gehen, vom großen Zimmer ins kleine und zurück ins große, wo das Sofa steht. Dann sortiert sie Wäsche und Kleider in den Schrank, hängt seine Anzüge auf, kauft für den Abend ein. Sie zieht sich um, probiert das Bad, dann, im neuen Kleid, beginnt sie auf ihn zu warten. Lange nach sechs hört sie ihn endlich an der Tür. Er hat einen Bekannten getroffen, der ihn nach Hause eingeladen hat, deshalb hat es so lange gedauert. Er ist beschämt, dass er ihr kein bisschen geholfen hat, bemerkt sofort die Blumen, in den beiden Schränken die Ordnung, das Kleid. Sie wirkt so frisch, findet er, irgendwie neu, oder es ist die fremde Umgebung, das elektrische Licht, an das er sich erst ge-wöhnen muss. An dich, sagt er. Oder doch nicht? Mein Gott, in Müritz hatte sie tagelang gedacht, wie vergesse ich ihn bloß, hoffentlich ist er nicht verheiratet, wie kann ich ihn wiedersehen. Und jetzt steht sie hier bei ihm in der neuen Wohnung und ist nervös, nicht richtig nervös, eher gespannt, auf eine mädchenhafte Art. In Liebesange-legenheiten ist er weiterhin kompliziert, aber es ist im-mer schön mit ihm, sie fühlt sich wohl, hat es nicht eilig. Einmal, vor Kurzem, hat sie zu ihm gesagt: So vorsichtig musst du mit mir nicht sein, worauf er sehr erstaunt war und erwiderte: Aber mit mir muss ich vorsichtig sein; was wie Rücksicht gegen dich aussieht, ist nur Rücksicht gegen mich.

Mit Anfang zwanzig ist er gelegentlich zu Prostituierten gegangen. Sie weiß nicht, warum er ihr das gesteht, ob sie es schlimm findet, für sich, ob es sie überhaupt be-trifft. Eine war noch fast ein Kind, weshalb es eine gewisse Illusion der Unschuld gab; sie hatte Löcher in den Strümpfen und lachte immerzu, deshalb erinnert er sich noch. Von den anderen weiß er nur den Schrecken. Ein paar Jahre, sagt er, und dann nicht mehr. Es ist Abend, er liegt auf dem Sofa, mit geschlossenen Augen, als würde er schlafen. Sie hat nicht das Gefühl, dass das Geständnis etwas ändert, auf verquere Weise findet sie es rührend, als könnte sie spüren, wie schrecklich jung er damals war, wie sie selbst, bevor sie ihn getroffen hat, jung und unwissend.

Sie hat ein paar Sachen aus ihrem Zimmer in der Münzstraße geholt, Kleider, Wäsche, Schuhe. Die Schminksachen nimmt sie mit, den roten Lippenstift, eine angebrochene Dose Puder, Bücher für die Abende, wenn er am Schreibtisch sitzt. Er schreibt jetzt jede Nacht, bis zum frühen Morgen. Wenn er zu ihr schlüpft, wird sie kurz wach und ist glücklich, die ersten Tage, als er noch schläft, neben ihr in dem schmalen Bett, in dem sie eine Weile glaubt, sie hätte ihn gerettet.

Dass er seit Jahren schlecht schläft, hat er ihr schon in Müritz erklärt, die Sache mit den Gespenstern, die sie vielleicht nicht verstanden oder zu leicht genommen hat. Sie hat geglaubt, wenn sie in seiner Nähe ist, werden sie sich nicht blicken lassen, doch jetzt lernt sie begreifen, dass der Gegner stärker ist. Sind die Gespenster seine Sorgen? Anfangs glaubt sie das. Sie haben kaum Geld, sie leben in der falschen Zeit; in der Stadt wird demonstriert, kürzlich hat es blutige Auseinandersetzungen zwischen Polizei und Arbeitslosen gegeben, Verletzte. Aber das ist es nicht. Auch seine Krankheit scheint es nicht zu sein. Sie beide wissen, dass sie nur schläft, sie kann jederzeit ausbrechen, aber die Gespenster kennt er sehr viel länger.

Manchmal sind sie weg, lassen ihn kurz in Frieden, dann überlegen sie es sich anders. Sie sagt, dass sie die Gespenster nicht mag. Warum ausgerechnet du? Sie möchte etwas für ihn tun, macht in der Küche Tee, obwohl er sagt, dass es vergeudete Zeit ist, sie soll schlafen, aber dann lässt er zu, dass sie bei ihm bleibt, auf dem Sofa, bis er es für diesmal überstanden hat.

Nie hat sie sich vorgestellt, dass sie eines Tages so leben würde. In ihren jungen Jahren hatte sie tausend Pläne, mit siebzehn, achtzehn, wenn man sich allmählich fragt, wie es später wird, welchen Mann man trifft, ob man Kinder hat. Mit sechzehn wurde sie Zionistin. Sie begann, Theater zu spielen, sie kämpfte mit ihrem Vater, der den Tod der Frau nicht verwand. Mit zwanzig ging sie im Zorn von ihm weg und mit einundzwanzig ein zweites Mal. War das erst vier Jahre her? Sie hat seit jeher zum Theater gewollt, eine Schauspielerin werden wie Emmy, nur um Himmels willen nicht wie Emmy, aber in fremde Rollen schlüpfen, in fremde Texte, am liebsten jiddische und hebräische, dazu die Klassiker, Kleist, den Franz so schätzt, einiges von Shakespeare. Das wäre der Traum. Fast ist er ein wenig verblasst, etwas, an das sie sich eines Tages wird erinnern müssen, falls es dann noch wichtig ist, denn mit Franz ist es gerade nicht wichtig.

Sie erzählt Judith, wie es für sie ist, wenn er schreibt. Eigentlich sehr schön, etwas fremd, irgendwie heilig, möchte sie sagen, sie weiß nicht. Einmal hat sie ihn beobachtet, durch die angelehnte Tür. Es schien eine schwere Arbeit zu sein, weniger das Warten, wenngleich auch das Warten Teil der Arbeit ist, doch an jenem Abend schrieb und schrieb er, richtig mit Hammer und Meißel, hatte sie das Gefühl, als wäre das Papier aus Stein, etwas, das sich

nicht gerne fügt, aber endlich doch, und dann sah es beinahe leicht aus, nicht nur wie eine Qual, als würde er
schwimmen, weit draußen vor der Küste, dachte sie, und
immer weiter fort ins offene Meer.

Wütend ist er gelegentlich auch. Er wird dann sehr still,
auf eine unheimliche Weise gefasst, je wütender desto
mehr. Bisher hat sie angenommen, das komme bei ihm
nicht vor, aber seit heute Morgen ist er außer sich. Die Eltern haben einen in Reichsmark ausgestellten Scheck über
31 Billionen geschickt, was leider bedeutet, dass es eine
Zeit dauert, bis sie ihn haben, und in dieser Zeit hat er ein
Drittel seines Werts verloren. Noch am Abend schimpft er.
Er schreibt sehr lange an Ottla, die einen Besuch in Berlin
plant, scheint sich zu beruhigen, dann wieder ärgert er
sich, nicht mal das Essen schmeckt, was soll man zu der
Sache bloß sagen. Die Eltern haben es gut gemeint, sagt
sie, sie kennen die Verhältnisse nicht, hätten sie Einblick
in die Verhältnisse, würden sie zu Tode erschrecken.
　　Lange nach zehn geht er noch arbeiten, die Geschichte
über die alte Vermieterin, schon wieder zu Scherzen auf-
gelegt. Eine Frau Hermann lasse man besser nicht warten,
sagt er, sie drängelt, wie ein Kind, das Schokolade will.
Dann hört sie nichts mehr. Sie ist wach, sie liest, rechnet
halb damit, dass er sie ruft, aber er ruft nicht, sie bleibt
allein, als hätte er sie vergessen.

5

Es ist seit längerem die erste Geschichte, an die er halbwegs glaubt, von der er weiß, dass er sie beenden wird, und in der Tat hat er sie so gut wie fertig. Sie ist nicht allzu lang, ein paar Seiten, aber er scheint es noch zu können, hat sogar daran gedacht, sie vorzulesen, was seit jeher ein gutes Zeichen bei ihm gewesen ist. Er arbeitet, er fühlt sich stark, sogar an M. hat er endlich schreiben können, über einen verbrannten Brief von ihr und einen von ihm, was seit Juli geschehen ist. Er fällt sofort in den alten Ton, was leider zur Folge hat, dass er sich nicht allzu präzise ausdrückt. Etwas Großes sei mit ihm geschehen, schreibt er zu Beginn, erwähnt die Kolonie, die ursprünglich vage Aussicht, nach Berlin zu gehen anstatt nach Palästina, wie unmöglich es ihm seit jeher sei, irgendwo alleine zu leben, doch auch dafür habe sich in Müritz eine in ihrer Art unwahrscheinliche Hilfe gefunden. Und nun ist er also in Berlin, seit Ende September schon, offenbar nicht allein, obwohl es dann doch so klingt. Er lebe fast auf dem Land in einer Villa mit Garten, die Wohnung sei die schönste, die er je gehabt habe. Das Essen ist so und so, schreibt er, der Gesundheitszustand, na ja, und dann, zum Ende hin, noch schnell eine Verbeugung vor den Luftgeistern, sogar das Wort Angst nimmt er in den Mund, an ziemlich prominenter Stelle, wie man sagen muss, denn mit dem Wort Angst, als schlage er für immer eine Tür hinter sich zu, beendet er den Brief. Er hat zwei

Abende dafür gebraucht. Er ist froh, dass M. sein neues Leben nicht kennt, dass sie in Wien lebt, kürzlich scheint sie in Italien gewesen zu sein, weit weg von Steglitz, so gut wie unerreichbar.

Gleich mehrere Pakete und Päckchen sind dieser Tage eingetroffen, fein säuberlich nummeriert, damit man sieht, ob eines verloren gegangen ist, was leider vorkommt. Eine Flasche Rotwein hat die Mutter geschickt, ein Paar Hausschuhe, vier Teller, eine Riesenflasche hausgemachten Himbeersaft, dazu wie üblich Butter, sogar ein Grahambrot, obwohl er das Berliner Brot inzwischen bevorzugt. Morgen kommt Ottla. Er hat ihr eine Liste mit dringend benötigten Dingen geschickt, drei Küchenhandtücher wären schön, zwei Tischtücher, den mehrmals erwähnten Fußsack, auf den er sehr hofft, denn beim Schreiben hat er leider dauernd kalte Füße.

Anders als bei Max zweifelt er keine Sekunde am Erfolg des Besuchs, und tatsächlich verstehen sich Dora und Ottla auf Anhieb, auch wenn es nur für die paar Stunden ist, denn leider muss die Schwester am selben Abend zurück. Sollte Ottla Bedenken wegen seines Berliner Lebens gehabt haben, so sind sie sofort wie weggeblasen. Sie ist voll des Lobes über die Wohnung, die ländliche Umgebung, auch der Zustand des Bruders scheint derzeit kein Anlass zur Sorge zu sein, man merkt, sagt sie, dass es euch beiden gut geht, so schwierig die äußeren Umstände leider sind. Groß ist die Freude über die mitgebrachten Sachen, sogar an einen Spirituskocher hat man gedacht, was vor allem Dora freut und dann Ottla, die ihr in der Küche hilft, wo er sie lange vertraut reden hört.

Auf dem Weg zum Bahnhof am späten Nachmittag sagt Ottla, dass sie ihn gut versteht. Dora ist anders als wir, aber eben deshalb zieht es dich zu ihr hin, oder etwa nicht? Sie ist aus dem Osten, um das Offensichtlichste nicht zu verschweigen, aber es gebe doch Gemeinsamkeiten, findet er, den praktischen Sinn, der sie beide auszeichnet, wie sie lachen. Der Vater würde nur den Osten sehen. Es ist womöglich das erste Mal, dass sie nicht über den Vater gesprochen haben, ja, sie haben ihn mit keiner Silbe erwähnt, die ganzen vier Stunden nicht, jetzt da sie beide auf ihre Weise ein eigenes Leben führen, die Schwester mit Josef und den Mädchen, und er selbst mit Dora hier in ihrer Steglitzer Wohnung.

Zu seiner Überraschung schreibt er ohne Pause weiter. Noch in der Nacht nach Ottlas Abreise beginnt er eine neue Geschichte, von der er nicht weiß, wohin sie ihn führt, jedenfalls nicht nach Berlin, denn die Geschichte spielt im unterirdischen Bau eines Tiers. Der Schlaf ist seit Tagen mittelmäßig, aber er schreibt, er lebt mit dieser Frau, zusammen in einer Wohnung, trotzdem schreibt er. Die Frau-Hermann-Geschichte hat er Dora inzwischen vorgelesen, sie hat an mehreren Stellen gelacht, dabei ist es in Wahrheit keine Geschichte über Frau Hermann, was sie aber nicht weiß.

Er schaut nicht mehr nur nach innen, hat er den Eindruck, wie nach einer leichten Drehung des Kopfes, als habe sich allen Ernstes etwas verändert, so erstaunlich das ist. Als hätte er immer nur den Kopf drehen müssen, und mit einem Mal schaut er nach draußen, wo Dora ist und die Erfahrung der Gemeinschaft, die er mit ihr verknüpft.

Er hat schon öfter über Tiere geschrieben, über die niedersten Kreaturen, über eine Küchenschabe, einen Affen, einen Riesenmaulwurf, einen Geier. Über Hunde und Schakale hat er geschrieben, am Rande über Leoparden, die Katze, die die Maus frisst.

Der Anfang der neuen Geschichte geht so: Ich habe den Bau eingerichtet, und er scheint wohl gelungen. Von außen ist eigentlich nur ein großes Loch sichtbar, dieses aber führt in Wirklichkeit nirgends hin, schon nach ein paar Schritten stößt man auf natürliches festes Gestein.

Was gibt es sonst? Der erste Schnee ist gefallen, es ist sehr kalt, kaum Sonne, aber hin und wieder doch, wobei er das Haus seit Tagen kaum verlässt.

Die Berliner hungern, es treffen Lebensmittelspenden aus allen Teilen Europas ein, was er nur am Rande verfolgt, ab und zu ein Detail von Dora, wenn sie die Einkäufe besorgt oder sich mit ihren Freunden trifft. An den Anblick der Bettler auf den Straßen hat man sich gewöhnt, leider besteht inzwischen die halbe Stadt aus Bettlern, die Leute sind mürbe und auf eine duldsame Weise verzweifelt, im Scheunenviertel ist die Lage am bedrückendsten, wenngleich sich die pogromartigen Ausschreitungen vom November nicht wiederholt haben. Dora sagt, dass das Jüdische Volksheim am Ende ist, sie möchte etwas tun, nicht nur Suppen kochen für die Ärmsten der Armen, sondern etwas verändern.

Soll man über die Welt schreiben oder sie verändern?

Er hat den letzten Brief von Robert beantwortet und erklärt, warum er so gut wie nichts von sich berichtet, weniger erklärt, nur festgestellt, dass es nicht geschieht. An die Familie schreibt er nicht, an Max, die halb vergessenen

Freunde nicht, ohne schlechtes Gewissen, zumal er zu spüren meint, dass er nicht mehr viel Zeit hat.

Er ist unter Druck und weiß nicht, ob er es schafft, dem Druck standzuhalten, zugleich hat er so viel Zeit wie nie. Vielleicht ist das ja das Glück, denkt er, diese Form der Verschwendung, abends im spärlich erleuchteten Zimmer, wenn sie sich vorlesen, Dora auf Hebräisch aus der Bibel, oder er etwas von den Grimms oder aus dem Schatzkästlein von Hebel, die Geschichte vom Bergmann, die er über alles liebt. In solchen Momenten hat er das Gefühl, dass er alle Zeit der Welt hat, was ja heißt, dass sie nicht vergeudet ist, wenn er weiß, in wenigen Minuten wird er zum Schreibtisch gehen, und dann doch sitzen bleibt, so kompliziert diese Schwebesituationen für ihn weiterhin sind, wenn sie sich an ihn lehnt oder die Beine übereinanderschlägt, diese Mischung aus Erwartung und Befürchtung.

Ein paar Tage und Nächte wühlt er in seinem Bau und wundert sich, wie einfach alles ist.

Morgens, wenn er sich anzieht, Hemd und Krawatte, im kleinen Bad vor dem Spiegel, wenn er sich wäscht und rasiert und dann anzieht, den dunklen Anzug, immer wie aus dem Ei gepellt, als hätte er eine Verabredung zum Frühstück in einem Café, wo er sie gleich treffen wird, und dabei ist sie längst hier, in einem Kleid, einer Bluse, die er kennt.

Er fragt sich, wann er das gelernt hat. Oder kann man die Dinge zuverlässig immer genau dann, wenn sie von einem verlangt werden?

Auch die Abende bleiben erstaunlich, denn irgendwann muss man die Kleider ablegen, man bereitet sich für die

Nacht, der Raum ist geteilt, man ist nicht allein, was aber nicht weiter stört, im Gegenteil, denn genau so, hat er gedacht, müsste man eines Tages leben.

6

EIN PAAR WOCHEN IST SIE WUNSCHLOS glücklich. Über
manches wundert sie sich, seine Nachmittage im Bett,
seine seltsamen Geschichten, wenn er ihr erklärt, da und
da habe er an sie gedacht, dieser Platz, wo das Tier die
Vorräte sammelt, der Burgplatz, das bist du, obwohl sie
die Verbindung beim besten Willen nicht erkennen kann.
Aber das ändert nichts an ihrem Glück. Der Winter ist
streng, in der Stadt hungern die Menschen, worüber sie
häufig reden, wie froh sie sein können, dass sie haben,
was sie haben. Recht viel weiter denkt sie nicht, auch weil
sie sich das meiste verbietet, die Kinderfrage, was aus
ihr wird, hier in dieser Wohnung, die sie am liebsten nie
mehr verlassen möchte.

Ottla hat erzählt, wie sich das Leben mit Kindern verändert. Sie hat ohne Umschweife gefragt, und, was ist mit
dir?, in der Küche, als sie zu zweit waren. Weil Dora mit
der Frage nicht rechnet, kann sie leider nur stammeln,
eigentlich ja, sagt sie, es ist alles so neu, in diesen Zeiten,
sie weiß nicht. Ottla hat sie bekümmert angesehen, weil
sie ja beide wissen, dass die Sache an Franz hängt, dass er
leider krank ist, denn wäre er nicht krank, mit dir würde
er sich Kinder wahrscheinlich wünschen. Habt ihr darüber
gesprochen? Worauf sie nur sagen kann: nein, und auf das
Mädchen mit der Puppe kommt, denn natürlich haben
sie nie darüber gesprochen, aber in gewissem Sinne eben

doch, damals im Park für einige Tage. Ottla hat die Geschichte sehr gemocht, sie ist sehr nett, will Dora trösten, wer weiß, was mit euch beiden noch geschieht, du bist jung, vielleicht wird er ja wieder gesund oder sie erfinden ein Medikament, woher soll man das wissen. Ottla hat sie fest umarmt, wie eine Schwester, hat sie gedacht, irgendwie getröstet, überrascht, dass sie das braucht, dass jemand sie so sieht.

Anfang März wird sie sechsundzwanzig.

Sie hat mit Franz über ihr Zimmer gesprochen, und sie sind sich einig, dass sie es nicht behält, es ist eine unnütze Ausgabe, zur Monatsmitte will sie kündigen. Sie hat das Zimmer nie gemocht, das alte Bett, in dem sie heulte, als Albert sie verließ, den muffigen Geruch von den Teppichen, die abgenutzten Möbel. Einmal hat sie Hans mitgenommen, was ein schwerer Fehler gewesen ist. Alles war vertrackt, sie wussten nicht, was reden, dabei war er zum Reden nicht gekommen, und dann stand er auf und kam nie wieder.

An ihren Wegen wird die Kündigung nicht viel ändern. Sie fährt weiterhin jeden zweiten Tag ins Volksheim, wo sich die Lage Woche für Woche verschlechtert, denn es fehlt praktisch an allem, an Geld, an Lebensmitteln, die armen Juden im Viertel wissen sich kaum zu helfen. Franz ermutigt sie. Jemand muss sich kümmern, sagt er, niemand könne das besser als sie, dennoch zweifelt sie, fühlt sich schwach, hin- und hergerissen, ob sie besser bei Franz ist oder bei den Kindern.

Mit seiner Geschichte ist er immer noch nicht fertig. Aber es geht voran, regelmäßig ab zehn, halb elf setzt er sich hin, und ohne jede Verabredung bleibt sie jetzt manchmal bei ihm, liest ein Buch oder sitzt nur da und beobachtet seinen Rhythmus, die Pausen, bevor er den Faden wieder aufnimmt. Einmal schläft sie ein, und als sie erwacht, sitzt er neben ihr, völlig verändert, erschöpft, wie nach schwerster Arbeit. Ein Leuchten ist in seinem Gesicht, etwas, das sie kurz quält und dann nicht mehr. Draußen dämmert es. Du bist wach? Ja, sagt er, und nun habe ich dich hier gefunden. Offenbar hat er dergleichen noch nie erlebt, er ist merkwürdig bewegt, er flüstert, als wäre es im Grunde undenkbar, hier mit ihr in einem Zimmer.

Seit ich dich kenne, bin ich ein anderer Mensch.

Alle paar Tage liest er ihr etwas vor, sie sind ununterbrochen zusammen. Manchmal beten sie sogar gemeinsam, wobei sie immer staunt, wie wenig er weiß. Aber genau das ist vielleicht das Schöne, wenn er neben ihr die Gebete spricht, auf eine unbeholfene Art fromm, wie ein Schüler, der die ersten Buchstaben des Alphabets vor sich hin murmelt und in seinen Gedanken wer weiß wo ist. Er hadert, hat das Gefühl, dass er alles falsch macht, aber es gibt kein Richtig oder Falsch, man muss nur die Gebete sprechen. Man erschafft sich einen Raum, sagt sie. Alles ist still. Nur wenn es ganz still ist, hört sie bisweilen eine Stimme, weit weg, mehr hell als dunkel, seltsam jung, sodass es nicht schwer ist, ihn zu bitten. Hörst du mich? Herr, sagt sie. Bitte erhöre mich. Er soll nur wissen, dass sie hier steht und nichts Unmögliches verlangt.

Eine Weile ist sie merkwürdig dünnhäutig, muss vor Rührung weinen, als Ottla zwei Tischdecken und ein paar Abwischtücher schickt, fürchtet sich plötzlich vor dem Winter. Dabei ist der erste Schnee längst weg, es regnet, sie haben es warm und hell, deshalb gibt es keinen Grund. Franz ist sehr liebevoll. Er schreibt, aber nicht jeden Tag, er nimmt sie in den Arm, freut sich über ihr Essen, sitzt bei ihr in der Küche, fast wie damals in Müritz.

Ahnung ist das falsche Wort. Sie ist ein paar Tage ohne innere Ruhe, läuft dauernd auf und ab, mit dem unbestimmten Wissen, dass sie verletzlich sind, er und sie, bevor sich die Befürchtungen langsam verlieren.

Franz hat seit Tagen geschrieben, er wirkt erschöpft, aber zufrieden. Fertig ist er nicht, er hat Schwierigkeiten mit dem Schluss, trotzdem möchte er ihr vorlesen, was er hat. Wieder muss sie denken, wie schön er spricht, hört mehr auf seine Stimme als auf die Geschichte, die ihr weiterhin fremd ist. Ist das Tier Franz? Manchmal sieht sie nur das Tier, dann wieder glaubt sie zu verstehen, dass er über sein Leben hier in Steglitz schreibt, alles verklausuliert, aber nicht so sehr, dass ihr der entscheidende Punkt entginge. Er hat gesagt, dass sie der Burgplatz ist. Das Tier hat Angst, es arbeitet Tag und Nacht, zwischendurch hat es Hunger, und in der Tat sind die Vorräte unermesslich, der ganze Bau duftet nach Fleisch, und das Fleisch bin ich, wie sie erschrocken denkt, und dann kommt die Stelle, wo er es sich nimmt, und es hört sich fürchterlich an.

Noch tags darauf ist sie verstört. Draußen tobt seit Stunden ein Sturm, Franz hat sich hingelegt, deshalb hat sie Zeit, weiter darüber nachzudenken. Sie fühlt sich nackt, irgendwie ausgesetzt, auch verletzt, aber das Komische ist, dass ihr das gefällt. Sie ist das Fleisch, aber anders als bei Albert, der sie einfach weggeworfen hat. Sie versteht es selbst nicht genau. Die Geschichte an sich ist schrecklich. Hat er wirklich dauernd Angst? Denn vor allem ist es eine Geschichte über die Angst. Haben Tiere Angst? Sie hat an ein paar Stellen gelacht und hofft, dass ihr Franz nicht böse ist. Er hat das sofort verneint, er schien sich im Gegenteil zu freuen, obwohl die Stellen die furchtbarsten waren.

Der Husten, sagt Franz, ist natürlich immer da. Darin ist er wie die Gespenster, man darf ihn um Himmels willen nicht wecken, vielleicht noch nicht mal von ihm sprechen, denn sonst lockt man ihn aus seinem Versteck und wird ihn dann so leicht nicht wieder los.

Sie haben zusammen gefrühstückt, Dora trägt seinen Morgenmantel und sitzt auf seinem Schoß. Dass sie seinen Morgenmantel trägt, ist neu, dass er ihr erlaubt, Grüße unter seine Briefe zu setzen, dass alle von ihr wissen und nach ihr fragen, Max und Ottla, die schon hier gewesen sind, und nun auch dieser Robert, von dem sie nur weiß, dass er mit Franz vor Jahren in einem Sanatorium gewesen ist. Einzig die Eltern wissen nichts von ihr. Schreibt er an die Eltern, klingt es immer so, als wäre er völlig allein in Berlin. Er möchte nicht, dass sie sich sorgen, sagt er. Nur wenn sie sich nicht sorgen, lassen sie ihn hier in Frieden leben, und also beklagt er sich, weil das Waschen in Berlin so teuer ist, redet vom Wetter, das so schlecht bisher nicht gewesen sei, trocken und nicht sehr kalt, wenig Nebel, jetzt freilich regne es, aber nicht sehr schlimm.

7

Die Geschichte hat weiterhin keinen Schluss, sie endet vorläufig mit einem Patt: Es gibt das Fleisch und den Bau, es gibt das Geräusch des Feindes, der durch nichts und niemand aufzuhalten sein wird. Würde ihm jemand sagen, an dem und dem Tag wirst du richtig krank, und er würde richtig krank, wäre er nicht überrascht. Überraschend wäre allenfalls das Gegenteil, aber auch das Gegenteil ist vorgekommen, man kann die Tuberkulose überleben, in einigen wenigen Fällen hat sie sich, wie soll man sagen, in Luft aufgelöst. Zumindest hat er dergleichen öfter gehört, früher in Sanatorien, als er selbst noch kein Lungenpatient gewesen ist und genau genommen überhaupt kein Patient.

In ihren Armen manchmal glaubt er daran. Oder besser: Er vergisst, woran er im Grunde nicht glaubt, denn in Wahrheit sorgt er sich ohne Unterlass, er lauscht, hört in sich hinein, selbst in ihren Armen, wo zum Glück noch andere Geräusche sind.

Von heute auf morgen ist es richtig Winter. Auf den Straßen liegt knöchelhoch der Schnee, es ist kalt und grau, und ausgerechnet jetzt hat er seit Wochen erstmals wieder Temperatur. Nicht sehr viel, aber immerhin. Dora schickt ihn sofort ins Bett, der Schreibschwung der letzten Wochen ist dahin, er fühlt sich dumm und leer, blättert lustlos in einer Zeitung, die Dora gebracht hat, ist den ganzen Tag nicht zufrieden, weshalb sie sich schon Sorgen macht, aber nein, vom Husten weiterhin keine Spur. Er fühlt sich kraftlos, was irgendwie passt, jetzt zum Ende des Jahres, wo draußen alles in eine totengleiche Starre zu verfallen beginnt.

Die Nacht vergeht ohne besondere Vorkommnisse. Der 24. beginnt, wie der 23. geendet hat, er hat Temperatur, aber keinen Husten, er liegt auf dem Sofa in der Nähe des Ofens, während Dora letzte Besorgungen für die Feiertage macht. Kaum ist sie weg, kommt das Fieber. Er beginnt zu frieren, er glüht, gleichzeitig ist ihm kalt. Dora, als sie zurückkehrt, erschrickt, sie telefoniert nach einem Arzt, einem über mehrere Ecken bekannten Professor, der wiederum seinen Assistenten schickt, einen Mann um die dreißig, der nichts feststellen kann. Man kann nur warten, sagt er. Bleiben Sie im Bett, ist sein Rat, nennt auch gleich seinen Preis, eine aberwitzige Summe.

Da er nur Fieber hat, möchte der Doktor eigentlich nicht liegen, aber Dora zuliebe bleibt er im Bett, schreibt einen weiteren Brief an M., etwas kläglicher als er sich fühlt, aber so ist es zwischen ihnen üblich. Obwohl ihm vorläufig nichts fehlt, schreibt er von den alten Leiden, die ihn auch hier in Berlin aufgefunden und niedergeworfen hätten, alles mache ihm Mühe, jeder Federstrich, weshalb er nicht schreibe, auf bessere oder noch schlechtere Zeiten warte, im Übrigen gut und zart behütet – das ist seine Formulierung für Dora – bis an die Grenzen irdischer Möglichkeit. Viel mehr gibt es nicht zu sagen. Draußen schneit es, vor dem Fenster tanzen seit Stunden die Flocken, was ganz nett anzusehen ist, als wäre man zurück in seiner Kindheit.

Am vierten Tag ist das Fieber weg. Dora möchte, dass er weiter liegt, obwohl er das für übertrieben hält. Sie wirkt noch immer sehr mitgenommen, wenn sie lächelt, wenn sie das Essen bringt oder auf dem Bett sitzt und sagt, wie furchtbar er ausgesehen hat. Wie der Tod, sagt er, worauf sie heftig den Kopf schüttelt, um Himmels willen, nein, und dann in Tränen ausbricht, weil sie genau das gedacht hat.

Es ist bitterkalt, an den Fenstern wachsen die Eisblumen, aber er scheint wieder in Ordnung zu sein. Jetzt, am zweiten fieberfreien Tag, kann ihm Dora gestehen, dass sie während des Fiebers mit Elli telefoniert hat, drüben im Wohnzimmer, während er kaum einen klaren Gedanken zu fassen in der Lage war und sich nur wunderte, warum sie so lange ausblieb. Dora hat ein schlechtes Gewissen, weil sie nicht gefragt hat, schließlich kann sie nicht einfach bei seiner Familie anrufen, aber in ihrer Not habe sie sich keinen anderen Rat gewusst. Sei nicht böse, sagt sie, dabei ist er keine Sekunde böse, eher erleichtert, denn er hasst das Telefonieren. Ob Dora in Zukunft nicht für ihn telefonieren will? Allein das Klingeln ist ihm ein Gräuel, man erschrickt jedes Mal bis ins Mark, weiß auch meistens nicht, was reden, oder es geht alles durcheinander wie neulich mit Elli, man fällt sich ins Wort, springt von hier nach da, fragt nach völlig überflüssigen Dingen wie dem Wetter, wie hast du geschlafen, was macht der Husten, Dinge, die, säße man sich gegenüber, in aller Ruhe zu klären gewesen wären.

Den nun notwendig gewordenen Brief an Elli beginnt er so: Ich dachte gleich an das Schlimmste, etwa dass sie eine halbe Taube gekauft habe oder dergleichen, aber dann war es der Anruf. An Ottla würde er völlig anders schreiben, aber bei Elli hat er immer das Gefühl, er müsse ihren Vorwürfen zuvorkommen, außerdem soll sie nicht merken, welche Sorgen er sich über die fortschreitende Teuerung macht und sogar schon überlegt, ob er Berlin nicht besser verlässt. Vorläufig sei es ein Spiel, behauptet er, nennt die bestehenden Alternativen Schelesen, Wien oder den Gardasee, nimmt es zurück. Nach Neujahr werde es gewiss besser, schreibt er, angeblich sollen die Preise fallen, um die Hälfte, hat er gehört, womöglich sogar um das Ganze, so scherzt er, man werde durch Faulenzen Geld verdienen, nicht ohne hinzuzufügen, dass es Dora gelungen ist, das Arzthonorar telefonisch auf die Hälfte herunterzuhandeln.

Ob er so ungern telefoniert, weil man mit der Stimme nicht lügen kann? In Briefen kann man sich verstellen, man lässt in der Schwebe, was am Telefon sofort roh und eindeutig ist. Zum Beispiel seine Bitte wegen des Spuckfläschchens hätte er am Telefon nicht aussprechen wollen. Die Sache ist ein wenig kompliziert, sie betrifft das Fräulein, von dem er weiß, dass es zu Weihnachten gerne etwas schenken will. Weihnachten ist längst vorbei, dennoch lässt er das Fräulein über Elli bitten, ihm bei Waldek & Wagner einen neuen Deckel zu besorgen, Fläschchen und Gummieinlage sind vorhanden, er hat es länger nicht benutzt, nur für den Fall der Fälle.

Von heute auf morgen gibt es keinen Spiritus mehr. Dora hat es in verschiedenen Geschäften versucht, aber vergebens, deshalb kocht sie jetzt auf Kerzenstümpfen, was mühsam und ein wenig lächerlich ist, aber am Ende bekommt sie es irgendwie hin. Man verbrennt sich fast die Zunge, so heiß ist das Essen geworden, trotzdem ist es ein weiterer Rückschlag. Sie haben seit Ewigkeiten nichts mehr unternommen, selbst das Briefporto können sie sich kaum leisten, von Extras nicht zu reden.

Wünsche für das neue Jahr gibt es genug; doch die meisten wagt man gar nicht zu denken. Dora möchte nie wieder so erschrecken wie vor einer Woche; an Silvester hier mit ihm im Bett liegen möchte sie. Es ist lange nach Mitternacht, Dora kann vor Müdigkeit die Augen kaum offen halten, sie hat kalte Füße, aber sonst ist sie überall warm, unter der Decke, wo er sie irgendwie umfasst. Gegen zwei schläft sie ein, was ein kleines Wunder ist, denn der Lärm ist bei offenem Fenster stundenlang ungeheuerlich, wie er später nach Hause berichtet, ohne Rücksicht auf den Frost, der Himmel voll Raketen, im ganzen großen Umkreis Musik und Geschrei.

Sie werden nicht ewig so zusammen sein. Manchmal kann er sie sehen, allein, ohne ihn, in zehn Jahren mit Mitte dreißig, wenn sich die Schönheit allmählich verdunkelt, aber zugleich klar und in gewissem Sinne endgültig wird. Sie wird nicht immer schmal sein, eher füllig, wenn er sich nicht täuscht, doch der Blick wird bleiben, ihre Sanftheit, ihre Lebendigkeit, der gute Glaube.

Einmal träumt er von F. Er denkt seit Wochen zum ersten Mal an sie, nur weil er von ihr geträumt hat. Er weiß, dass sie verheiratet ist und Kinder hat, vom Hörensagen, denn nach Auflösung der Verlobung haben sie sich bald nicht mehr geschrieben. Er wüsste nicht, was. Dass er endlich das Leben bekommen hat, das mit ihm zu führen sie nicht bereit war? Von dem Traum weiß er nur, dass es um Möbel ging, die Einrichtung eines riesigen Salons, denn über solche Fragen haben sie oft gestritten.

An Ottla schreibt er, dass Meran nicht übel wäre. Trotzdem bleibe er fürs Erste in Berlin, wo über Neujahr wie
angekündigt die Preise leicht gesunken sind, die Stadt-
bahnfahrt zum Potsdamer Platz kostet ein Drittel weniger,
ein Liter Spiritus knapp die Hälfte. Trotz Doras Bedenken
sind sie in die Stadt gefahren, das Wetter ist nicht gar so
schlecht, und tatsächlich tut es gut, mal wieder unter Menschen zu sein, man kann sich vergewissern, dass alles am
gewohnten Platz ist, die Preise, wie gesagt, sind interessant, zum Beispiel in einem Winkelrestaurant das Wiener
Schnitzel mit Spargel kostet sage und schreibe 20 Kronen.
Ja, die Kälte sei kräftig, schreibt er am Abend, aber unter
seiner Daunensteppdecke sei es warm, manchmal gebe es
im Park in der Sonne einen warmen Augenblick, und mit
dem Rücken an der Zentralheizung sei es auch recht gut,
gar wenn man zum Überfluss die Füße im Fußsack habe.

8

AM MEISTEN FREUT SIE SICH, dass nun auch seine Eltern von ihr wissen, richtig offiziell, dass sie miteinander leben. Ein wenig war sie deshalb schon gekränkt, Franz hatte Bedenken, es ihnen beizubringen, aber jetzt wissen sie Bescheid, sie hat kleine Auftritte in den hin und her gehenden Briefen, sie hat einen Namen, sie ist die Frau an seiner Seite, der man sogar dankbar ist; gute Fee haben die Eltern sie im letzten Brief genannt, beinahe wie im Märchen.

Schlechte Nachrichten gibt es wegen der Wohnung. Sie haben mit der Vermieterin gesprochen, eigentlich nur, weil sie überlegt haben, aus Kostengründen das zweite Zimmer abzugeben, doch nun stellt sich heraus, dass sie zusätzlich das dritte mieten sollen, denn Frau Rethmann braucht Geld, die Summe, die sie sich vorstellt, ist unerschwinglich. Ja, leider, sagt sie, und Franz will wissen, wann, worauf sie erwidert, nicht von heute auf morgen, zum 1. Februar habe sie sich vorgestellt, außerdem gebe es eventuell Ersatz, eine Bekannte suche nach einem Todesfall neue Mieter, sie werde mit ihr sprechen.

Anders als im November trifft sie der Rauswurf wie aus heiterem Himmel. Franz nimmt die Sache sehr schwer, fühlt sich vertrieben, mag die Wohnung nicht mehr, zweifelt an Berlin, ihrem Leben, wahrscheinlich sollte man besser wegfahren. Aber wohin? Er hat ihr von Meran erzählt, denn vor Jahren ist er in Meran gewesen, aber sie kann es sich nicht vorstellen, außerdem war er damals nur zu Besuch, allein, mehr oder weniger in Ferien. Also doch lieber der Gardasee, wo er ebenfalls bereits gewesen ist? Der Gardasee, sagt er, ist fast so groß wie das Meer, aber italienisch, mit kleinen bunten Dörfern, in der Ferne die Berge. Auch in Meran sind überall Berge, sie fürchtet sich vor diesen Bergen, nie hätte sie gedacht, dass ihr Leben von heute auf morgen derart in Verwirrung geraten könnte.

Sie berät sich mit Judith. Die Freundin hat schon mehrmals angerufen und gesagt, dass sie sich treffen müssen, es gebe Neuigkeiten. Nein, kein Mann, weil Dora gefragt hat: Ist es ein Mann? Na ja, vielleicht, hat Judith gesagt, aber anders als du denkst. Sie verabreden sich in einem Café in Moabit, das einem von Judiths Onkeln gehört, und noch während sie bestellen, ist es heraus: Judith geht nach Palästina, Ende Mai, spätestens im Sommer. Der Mann, um den es sich handelt, heißt Fritz, ist nicht gar so alt, sechsunddreißig, von Beruf Arzt, seit Langem Zionist. Mit ihm will sie in einen Kibbuz am Meer. Sonst ist zwischen ihnen nichts, aber er hat sie gefragt, sie hat jemanden, mit dem sie gehen kann. Willst du nicht mit? Dora erzählt von Meran, sie weiß nicht, ob sie nach Meran kann. Judith meint: Wenn ihr nach Meran könnt, könnt ihr genauso gut nach Palästina. Aber das ist völlig ausgeschlossen, wovon sollen sie dort leben, von seinem Zustand abgesehen, wo um Himmels willen sollen sie bloß hin.

Es schneit und schneit, sie denkt an Judith, die nach Palästina geht, während sie in Gedanken dauernd durch Gebirge spaziert. Franz ist sehr still, er möchte endlich wissen, wie es mit der Wohnung weitergeht, aber die Bekannte von Frau Rethmann ist verreist, man trifft sich auf dem Flur und grüßt, geht seiner Wege. Einmal, nachmittags, steht sie mit einem Mann vor der Tür, angeblich ein Interessent, der nicht sonderlich begeistert wirkt. Er wirft einen schiefen Blick auf Franz, der auf dem Sofa liegt, während Frau Rethmann die Vorzüge der drei Zimmer preist und so tut, als sei sie untröstlich, dass sie diese wunderbaren Mieter ziehen lassen muss.

Ein wenig hängen sie jetzt doch in der Luft. Mal ist es denkbar, dass sie bleiben, mal sehen sie sich in der Wohnung der Bekannten. Oder sollen sie Berlin verlassen? Wieder fällt der Name Meran, sie stellt sich darauf ein, Meran, warum nicht, dann redet Franz von Wien, was sie, ehrlich gesagt, erstaunt, denn in Müritz hat er kein gutes Haar an Wien gelassen, Wien sei in jeder Hinsicht undenkbar, wenngleich es immerhin eine Stadt ist.

Seit dem Fieber hat er kaum geschrieben. Er setzt sich am Abend hin, aber man merkt, dass er nicht zufrieden ist, die Arbeit strengt ihn an, nimmt ihm weiter Kraft statt ihm neue zu geben. Manchmal möchte sie ihn abhalten, mahnt und bittet, nicht so lange wie gestern, denn gestern ist es wieder die halbe Nacht gegangen. Sie hat ihn gehört, als er gekommen ist, hätte ihn gerne gefragt, was sie jedoch nicht wagt, beim Frühstück, wenn sie in seinem Schlafrock auf seinem Schoß sitzt und keiner weiß, wie es mit ihnen weitergeht.

Sie hat die Geschichte mit dieser M. nie so recht verstanden, das, was er ihr erzählt hat, so wenig es gewesen ist. Wahrscheinlich hat er nicht gesagt: ruiniert, aber sie haben sich nicht gutgetan, jedenfalls hat er lange auf sie

gewartet, Brief um Brief gehofft und sich zerrieben, sodass es nur eine Frage der Zeit war, bis sie aus Erschöpfung auseinanderfielen. Ein-, zweimal einen Brief hat sie
liegen sehen, eine Schrift auf einem Umschlag, über die
sie kurz nachgedacht hat, alles vor Wochen.

Sollte er erneut krank werden, wird sie auch diesmal nicht
zögern, einen Arzt zu rufen. Gestern, beim Abendessen,
hat sie plötzlich so eine Ahnung gehabt, er sah müde und
fiebrig aus, und tatsächlich hatte er erhöhte Temperatur.
Von nun an messen sie wieder regelmäßig. Auch am Morgen hat er Temperatur, die bis zum Mittag fällt und steigt,
immer so um die 37,5.

Als wäre das nicht genug, erklärt Frau Rethmann, die
Sache sei nun definitiv, zum 1. Februar müssen sie ausgezogen sein, und mit der Ersatzwohnung werde es leider
nichts, sie sei schon vergeben. Nun gut, insgeheim haben
sie damit gerechnet, Franz macht sogar Scherze, auf diese
Weise werden sie wenigstens Berlin kennenlernen, aber
es klingt ein bisschen matt, als wäre es ihm plötzlich egal,
wenngleich die Namen Meran und Wien nicht fallen.

Ein Anlass zur Freude sind weiterhin die Pakete, wenn
ein Stück Butter kommt, Sachen für den Haushalt, in der
Regel von Ottla oder der Mutter und einmal auf Veranlas-
sung von Max eine Sendung vom Frauenbund, wie sie in
diesen Tagen an in Not geratene Ausländer in Deutschland
verschickt wird. Franz hätte sich eine Tafel Schokolade gewünscht, Dinge, die in Berlin nicht zu haben sind, aber
stattdessen gibt es nur langweiligen Grieß, Reis, Mehl
und Zucker, Tee und Kaffee, sodass sich die Begeisterung
in Grenzen hält. Man könnte einen Kuchen backen, und
in der Tat hat sie sofort eine Idee, für wen: die Kinder

im Jüdischen Waisenhaus, in dem sie letztes Jahr als Näherin gearbeitet hat. Sie wird empfangen wie ein Engel. Der Kuchen ist im Nu weg, trotzdem wollen die Kinder sie nicht gehen lassen. Hungrige, traurige Gesichter mit großen dunklen Augen. Auf einmal habe ich gesungen, erzählt sie Franz am Abend. Sie haben zusammen gesungen, sie haben gebetet, die Tränen beim Abschied waren schlimm, als hätten sie genau gewusst, dass es für lange Zeit der letzte Besuch gewesen ist.

Für Franz sind solche Ausflüge undenkbar. Ich bin ein völliges Haustier, spaßt er. Ob sie das in Müritz für möglich gehalten hat? Am Strand muss ich doch beinahe wie ein Sportler gewirkt haben. Ich bin geschwommen, ich bin von meinem Strandkorb mühelos zum Wasser gelaufen, dann zurück, dann mit dir bis zur Landungsbrücke, durch den Wald bin ich mit dir spaziert, zweimal im Abstand weniger Tage, und nun schau an, was aus mir geworden ist. Er möchte, dass sie andere Leute trifft, sie soll nicht denken, dass sie ihn nicht alleine lassen kann, zum Beispiel wenn er schläft, braucht er sie ja überhaupt nicht. Ja, hörst du? Wenn er sie bittet, sieht er wie ein kleiner Junge aus, sie nickt, schüttelt den Kopf, wird darüber nachdenken.

Sie möchte nie mehr schlafen ohne ihn.

Um zu sparen, heizen sie jetzt nur noch das Schlafzimmer. Fast ist es wie in der Miquelstraße, es ist erstaunlich, mit wie wenig Platz man auskommen kann, denn eigentlich haben sie nur das Bett, den kleinen Tisch, Stuhl und Schrank, aber sonst nur das Bett, in dem sie sogar essen, wenngleich man dann tagelang überall die Krümel hat.

9

WIE ES IHM WIRKLICH GEHT, ist nicht leicht zu sagen, von der Temperatur mal abgesehen, dass er ein schlechtes Gewissen wegen Emmy hat, die von weiteren Eskapaden abgehalten werden müsste, wozu ihm leider die Kraft fehlt. Grund zum Jubeln hat er nicht. Er schläft, er hat zu essen, er hat Dora, gewiss, aber alles in allem fühlt er sich doch etwas hinfällig, die Arbeit stockt, das nächtliche Gekritzel, denn viel mehr ist es in den letzten Wochen nicht gewesen. Er hat Angst, dass er neuerlich krank wird, aber er kann seine Befürchtungen benennen, in einem langen Brief an Max, in dem er so tut, als handele es sich nur um Kleinigkeiten: Der Boden unter ihm müsste gefestigt sein, der Abgrund vor ihm zugeschüttet, die Geier um seinen Kopf verjagt, der Sturm über ihm besänftigt, ja, dann, wenn das geschehen würde, so schreibt er, nun, dann ginge es ja ein wenig.

Kommt Besuch, empfängt er ihn jetzt oft im Bett, das Ehepaar Kaznelson Anfang des Monats für einen halben Nachmittag, während es bei Doras Freundin Judith kürzlich nur eine halbe Stunde gewesen ist. Inzwischen ist ihm oft schon das zu viel, dann wieder fühlt er sich beschwingt, möchte am liebsten aus der Wohnung, um nicht immer weiter alles zu versäumen, zum Beispiel die Lesung heute Abend aus den Brüdern Karamasow. Das Fräulein Bugsch aus Dresden und die Vortragskünstlerin Midia Pines haben den Vorschlag gemacht, seit dem frühen Nachmittag sind sie da, und bislang ist es keine Sekunde langweilig gewesen. Vor allem die kleine dunkle Midia hat es dem Doktor angetan, man redet über die großen Russen, den Unterschied zwischen Tolstoi und Dostojewski, die Kunst des Lesens, hat sogar Pläne für danach, man möchte nach der Lesung in die Stadt, und am Ende sind es ebendiese Pläne, die ihm klarmachen, dass er besser zu Hause bleibt. Er hat sich überschätzt. Alle sind überrascht, ja bestürzt, man versucht ihn zu überreden, dabei versucht er sogar aufzustehen, womit die Sache endgültig entschieden ist.

Wie sich herausstellt, scheint er etwas versäumt zu haben. Dora ist sehr beeindruckt wiedergekommen und redet seither nur noch von dieser Midia. Es ist nach sieben, das erste Frühstück steht auf dem Nachttisch, und er hört ihr zu, so gut es eben geht, denn manchmal rutschen seine Gedanken weg, fast als wäre er neidisch, auf die begeisterten Menschen, unter denen sie gewesen ist, die Stunde in der Weinstube, in der das Lob für Midia nicht aufhörte. Wie schade, dass man es nicht richtig erzählen kann, sagt Dora, aber sie strahlt, sie habe immerzu an ihn gedacht, den ganzen Abend, während er hier im Bett lag und sich über einen Anruf von Elli ärgerte, denn kurz nachdem sie alle weg waren, klingelte das Telefon, und Elli war dran und kam mit ihren berühmten Sorgen.

Eine neue Wohnung haben sie immer noch nicht.

Dora hat eine Annonce aufgegeben: Älterer Herr sucht zwei Zimmer, am liebsten in Steglitz, obwohl sie diesmal Zehlendorf hinzugenommen haben, wodurch die Stadt in noch weitere Ferne rücken würde. Manchmal fühlt er sich wie im Gefängnis. Er ist seit Wochen nicht mehr in der

Jüdischen Hochschule gewesen, selbst Emmy hat er nicht getroffen, nur kurz telefoniert, was schlimmer war, als sie zu treffen, denn sie gab sich recht kühl, redete fast kalt von ihren Tränen, wie oft und lange sie um Max geweint habe, doch jetzt, von heute auf morgen, sei es damit vorbei.

Sitzt er am Schreibtisch, fragt er sich, was er da noch tut, und tröstet sich mit dem Gedanken an die neue Wohnung. Er versteht nicht genau, woran es liegt, an der fehlenden Kraft, dem Übermaß an Ruhe, das sich so leicht nicht abstellen lässt, dass er am liebsten alles verbrennen würde.

Seit Kurzem taut es. Der Januar-Schnee ist so gut wie weg, was gewiss nicht das letzte Wort gewesen ist, aber wenigstens scheint zur Abwechslung die Sonne. Er geht in den Park, sitzt auf der Bank, auf der ihn damals das Mädchen einen Juden genannt hat, etwas sehr schnell erschöpft, wie man zugeben muss, weshalb er auch auf der nächsten Bank eine Pause macht und auf der übernächsten wieder. Am Rathaus in den Schaukästen entdeckt er auf Seite eins die Nachricht, dass Lenin gestorben ist, offenbar schon vor Tagen. Er erschrickt, wie wenig sie von solchen Ereignissen Kenntnis nehmen, nur kurz, weil es ihm durchaus recht ist, vielleicht nie so recht wie gerade jetzt.

Er hat nie richtig über Geld nachgedacht.

Wegen der Anzeige klingelt jetzt dauernd das Telefon, aber die Angebote klingen mehrheitlich dubios oder sind unerschwinglich, außerdem hat er weiterhin Temperatur, sodass er das meiste nicht besichtigen kann. Wider alle Vernunft interessieren sie sich für eine Wohnung, für die er sage und schreibe drei Viertel seiner Pension ausgeben müsste, sie fahren zwei Stationen mit der S-Bahn und hoffen auf einen Nachlass, den es natürlich nicht gibt. Die Wohnung ist trotzdem ein Wunderding, viel schöner als die jetzige, zwei Zimmer und eine Kammer im Parterre einer Villa in Zehlendorf, vollständig im Grünen, wie er der Familie berichtet, mit Garten, Liegeveranda, elektrischem Licht, Zentralheizung. Wir sind verrückt, sagt Dora. Aber genau das scheint ihnen zu gefallen, zumal das Telefon weiter nicht stillsteht. Der letzte Anruf kommt nach zehn, eine freundliche Stimme, die auf alles eingeht und für morgen Vormittag eine Besichtigung vorschlägt, eine Frau Dr. Busse. Busse? Den Namen hat er schon gehört. Er schlägt im Telefonbuch nach, der Mann ist Schriftsteller; soweit er sich erinnert, kann er Juden nicht leiden.

Bei der Besichtigung stellt sich heraus, dass die Frau Witwe ist. Ihr Mann, ebender Schriftsteller, an den er gedacht hat, ist vor Jahren an der Spanischen Grippe gestorben. Einen Moment wirkt sie irritiert, dass der Doktor das nicht weiß, es hat in allen Zeitungen gestanden, am Ende nicht nur in den Berlinern. Na gut. Die beiden Zimmer mit Ofenheizung sind passabel, findet er, eher sonnig, falls die Sonne nur schiene, sie befinden sich im ersten Stock, sodass man weitestgehend für sich sein dürfte, in noch ländlicherer Umgebung als in Steglitz. Der Preis ist nicht ungebührlich hoch, aber trotzdem unerschwinglich. Heidestraße 25–26. Vom Fenster hat man einen schönen Blick, auch den Garten dürfen sie benutzen, im bevorstehenden Frühling, wenn das Ärgste hoffentlich vorbei ist.

Länger als zehn Wochen sind sie bisher in keiner Wohnung gewesen.

Ein paar Tage schwankt die Stimmung zwischen Erschöpfung und Erwartung. Die beiden Besichtigungen waren doch etwas viel, doch sonst ist er guter Dinge, er hustet nicht, die Temperatur ist konstant, alles um ihn herum ist sehr ruhig, auch in ihm drin, wo kein rechter Gedanke ist, kein genauer Satz, keine Idee für irgendwas.

Zum Abschied gehen sie noch einmal durch das Viertel, als wäre es das letzte Mal, obwohl sie jederzeit wiederkommen können. Im Botanischen Garten begegnet ihnen ein alter Fuchs, in einer Gruppe von Fichten steht er und schaut geduldig zu ihnen herüber, als würde er grüßen, ohne jede Angst. Das war Steglitz, sagt der Doktor, und Dora sagt, dass sie sehr gern in Steglitz gewesen ist, es war die glücklichste Zeit ihres Lebens.

Max hat angerufen und gesagt, dass er in der Stadt ist, um mit Emmy zu sprechen. Am Nachmittag kommt er kurz vorbei, Emmy und er haben sich irgendwie verheddert, sie können kaum mehr reden, etwas ist noch da und doch schon zerstört, Franz und Dora, hat er gedacht, bringen ihn auf andere Gedanken. Einen Rat hat niemand. Dora hat das meiste schon gepackt, aber jetzt ist es erst mal genug, es gibt Tee und Gebäck und später eine lange Lesung aus den letzten beiden Geschichten. Dora hat sich das gewünscht, sie freut sich, weil sie alles kennt, während Max bis zuletzt ohne jede Regung auf seinem Stuhl sitzt und dann lange schweigt und etwas sehr Schönes über unterirdische Bauten sagt.

10

Am Tag des Umzugs ist er krank. Er hat Fieber, er glüht, ist aber wie im Dezember ohne Beschwerden, seltsam munter, alles andere als überrascht, eher verärgert, dass er neuerlich nicht helfen kann und im Bett liegt und sich nur wundert, wie viele Sachen zu transportieren sind, augenscheinlich hat sich ihr Hausstand seit September ziemlich vergrößert.

Das Wetter ist für einen Umzug nicht günstig. Es regnet, dazu weht ein kräftiger Wind, aber sie beklagt sich nicht, außerdem ist sie nicht allein, ein Mädchen aus Müritz, Reha, hat sich bereiterklärt zu helfen, sie haben sich kürzlich getroffen und über die alten Zeiten gesprochen, so war es nicht schwer, sie zu bitten. Der Weg von der Bahnstation ist weit, zu Fuß eine Viertelstunde, das Gepäck ist schwer, deshalb bleiben sie ab und zu stehen, um zu verschnaufen, aber Dora drängt zur Eile, sie ist besorgt wegen des neuerlichen Fiebers, wie seltsam er lächelt, als wüsste er Dinge, die sie nicht mal ahnt. Zweimal fahren sie hin und her, bis am frühen Nachmittag nur noch Kleinigkeiten bleiben. Da Franz bei diesem Wetter unmöglich auf die Straße kann, wird beschlossen, die letzte Fuhre mit dem Wagen zu machen, ein halbes Vermögen kostet der Spaß, aber dann ist es geschafft. Es ist das letzte Mal, sagt Franz, und auch Dora glaubt, dass es das letzte Mal ist, hier in Berlin wird es keine weitere Wohnung mehr geben.

Wieder vergehen Stunden zwischen Hoffen und Bangen. Aber es ist schön, immer nach ihm zu sehen, ob er endlich schläft, denn hin und wieder schläft er, und dann küsst sie ihm die heiße Stirn, oder sie steht nur da und beobachtet, wie er leise atmet, das Heben und Senken der Brust. Aus dem Haus kann und darf er weiter auf keinen Fall. Sie haben eine Einladung für einen Vortragsabend mit Ludwig Hardt, er liest auch Texte von Franz, deshalb wären sie gerne hingegangen, aber nun ist gar nicht daran zu denken. Franz sagt den Abend ab, schreibt einen kurzen Brief, den zu überbringen wiederum Reha gebeten wird, denn Hardts Hotel ist weit weg in der Stadt, und so lange möchte Dora Franz nicht allein lassen.

Leider geht die Sache schief. Offenbar hat der Brief seinen Adressaten nicht erreicht, zumindest gibt es keine Antwort, weshalb ein zweiter Brief geschrieben werden muss. Diesmal soll ihn Dora überbringen, und wirklich geht sie am Abend hin und hört den Vortrag des berühmten Mannes. Nach der Veranstaltung hat sie Mühe, zu ihm vorzudringen, denn es stehen eine Menge Leute um ihn herum, es gibt Fragen, Komplimente für die Art, wie er liest, die komische Geschichte von dem Affen, der zum Menschen geworden ist. Sie sei Dora, sagt sie; sie habe eine Nachricht für ihn. Aus Versehen nennt sie nur den Vornamen, Franz sei leider krank, sagt sie, der Abend habe ihr sehr gefallen. Erst jetzt begreift er, von wem die Rede ist, liest den Brief, bedauert, dass es Franz nicht gut geht, wie gerne er gekommen wäre, doch leider, morgen in der Früh mit dem ersten Zug reise er ab.

Franz ist enttäuscht, aber nicht allzu sehr, er hat Hardt seit Jahren weder gehört noch gesehen. Über die Geschichte kann sie nicht viel sagen. Der Affe tut ihr leid, sagt sie. Ist es nicht schrecklich, dass er werden musste wie wir? Sie fragt sich, wie man sich solche Geschichten ausdenken kann. Rotpeter, allein der Name. Was seine Eltern von diesem Affen halten? Auch sie haben den Vortrag gehört, sie haben davon geschrieben, aber anders als in Berlin, wo der Saal bis auf den letzten Platz gefüllt war, scheinen sie in Prag beinahe die einzigen Zuhörer gewesen zu sein.

Am meisten fürchtet Franz den Besuch der Mutter. Das Fieber kommt und geht, damit lässt sich leben, aber was um Himmels willen, wenn die Mutter hier in der Wohnung steht. Leider scheint es längst Pläne zu geben, auch ein Onkel möchte nach dem Rechten sehen, er hat eine größere Summe für außerordentliche Ausgaben geschickt, schon deshalb lässt es sich wohl nicht mehr verhindern. Franz stöhnt, für ihn ist es ein Albtraum, denn sind sie erst in Berlin, werden sie versuchen, ihn hier wegzuholen, während Dora einem Besuch auch angenehme Seiten abgewinnt, schließlich ist es seine Mutter, man könnte sich endlich kennenlernen und besprechen, was am besten zu geschehen hat.

Hör zu, sagt sie. Ein paar Tage, immer wieder. Abends im Bett, wenn er schläft, wenn sie an sich glaubt. Hör zu. Es ist nicht schlimm, was immer geschieht, all die dummen Sätze, die sie leider nur flüstern kann, warum alles beschlossen ist, von Anfang an, jedenfalls in ihr, was immer mit dir wird.

Kurz vor dem Umzug hat er einer Tante geschrieben, die in einem Ort namens Leitmeritz lebt und erst jetzt geantwortet hat, leider nicht sehr freundlich, offenbar weil sie glaubt, er und Dora wollten bei ihr einziehen. Dabei hatte er nur gebeten, sich ein bisschen umzuhören, ob in der

Gegend etwas für sie zu haben sei, zwei, drei möblierte, möglichst abgeschlossene Zimmer in einer Villa.

Sonst ist nicht viel.

Er liegt bei offenem Fenster im Schaukelstuhl in der Sonne und schreibt an seine Eltern, dass er sich hoffentlich nächstens auf die Veranda wagen kann.

Er liegt im Bett und blättert in seinen Heften, schüttelt den Kopf über die Ausbeute der letzten Wochen, die sehr mager ausgefallen ist. Richtig trösten kann sie ihn nicht. Er wirft sich vor, sich zu wenig bemüht zu haben, all die langen Stunden im Bett. Aber du bist krank, sagt sie. Schon im Dezember warst du krank, hast du das vergessen? Doch er bleibt dabei. Sein halbes Leben habe er vertrödelt. Warum hat er sich nie etwas dabei gedacht? Wie ein Kind, sagt er. Aber Kinder gehen in die Welt, sie verlassen das Bett, während es bei mir gerade umgekehrt ist: Statt in die Welt zu gehen, verkrieche ich mich immer öfter unter irgendwelchen Decken.

Er hat der Familie die neue Telefonnummer geschickt, unter der Bedingung, dass er nicht an den Apparat muss.

Er ist schmal, bei jedem Aufstehen kann man sehen, wie schwach er ist. Das Kochen hat sie so gut wie aufgegeben, sie kauft Obst, sie bringt ihm Buttermilch, ihren Mund, manchmal eine Zeitung.

Nach und nach rufen sie alle an, erst Elli, dann Ottla, die Mutter. Das Telefon ist unten, frei in der Halle, sodass man nicht gut sprechen kann, sie friert, sie beginnt zu zittern, wenn sie länger spricht. Mit Elli ist es noch am einfachsten. Sie steht ihr nicht sehr nah, deshalb lässt sich die Lage beschönigen, zum Besten stehe es zwar nicht, die neue Wohnung sei ein wenig laut, nicht ganz so angenehm wie die vorige. Es sei kalt, man verlasse kaum das Haus, gibt sie zu, und ja, Franz sei wohlauf, allerdings liege er im Bett, er habe Temperatur, obwohl er in Wahrheit hohes Fieber hat. Gegenüber Ottla gibt sie das Fieber zu. Franz habe abgenommen, er sei schwach, sie bemühe sich nach Kräften. Darauf Ottla: Das tut mir leid, ihr wart so glücklich. Sie versucht zu trösten, im Dezember ist das Fieber wieder weggegangen, trotzdem sei man in großer Sorge, Berlin tue ihm nicht gut, ohne jeden Vorwurf, nicht als sei Dora schuld daran, da sie im Gegenteil von Anfang an sein Glück gewesen sei.

Abends, wenn sie an seinem Bett sitzt und etwas näht oder seinen Schlaf beobachtet, fragt sie sich, wer er ist. Ist er das, was sie sieht, ein fiebernder Mann, mit dem sie lebt, der sie küsst, der ihr vorliest, die komische Geschichte mit dem Affen, gelegentlich einen Brief, wenn er an seine Eltern schreibt und so tut, als wäre nichts. Er hat sich zur Wand gedreht, deshalb kann sie sein Gesicht nicht sehen, doch sie weiß, dass da seit Kurzem etwas ist, das sie nicht kennt, ein Leuchten, hat sie das Gefühl, aber anders als damals in der Nacht, als er sie geweckt hat. Diesmal ist es die Krankheit, glaubt sie. Dabei hat sie über die Krankheit bisher kaum nachgedacht, als wäre sie eine frühere Geliebte, etwas, das zu ihm gehört und auf das sie nicht eifersüchtig ist. Sie bekommt den Gedanken nicht richtig zu fassen, kann nicht mal sagen, dass sie sich fürchtet, sie stellt es nur fest und hütet sich vor voreiligen Schlüssen.

11

NATÜRLICH GIBT ES DINGE, die er vermisst, aber weniger schmerzlich, als er gedacht hat, die Spaziergänge, die bei diesen Schneemengen Expeditionen gleichkämen, die Bewegung, das Licht. Die Stadt ist seit Wochen fern wie der Mond. Aber er steht zur Abwechslung auf, denn Rudolf Kayser von der Neuen Rundschau ist in die verschneite Heidestraße gereist und traut seinen Augen nicht. Dass man bei seinem Anblick erschrickt, ist der Doktor inzwischen gewohnt. Er liegt auf dem Sofa und reicht dem sichtlich betroffenen Kayser die Hand, macht eine Bemerkung zur letzten Nacht, die nun wirklich nicht besonders gewesen ist, die ganzen letzten Tage waren nicht besonders. Aber er bemüht sich, lächelt, fühlt sich eigentlich recht wohl, man meint es gut mit ihm. Dora hat wie immer einen Imbiss vorbereitet, er gibt zu, dass er ohne Dora nicht überleben könnte in Berlin, ja, fast macht er ihr eine Liebeserklärung vor dem fremden Mann, der für den Doktor wie ein Bote aus dem entschwundenen Leben ist. Es geht lebhaft hin und her, man redet über Bücher, das Theater, gemeinsame Bekannte, aber so, als wäre es ein für alle Mal vergangen, was dem Doktor auf die Dauer nicht behagt. Ist er schon so hinfällig? Dora berichtet vom Auf und Ab der letzten Wochen, erwähnt die Episode mit den Kerzenstümpfen. Über die Arbeit, so glaubt er, muss man unter den gegebenen Umständen nicht sprechen, aber nein, Kayser erkundigt sich danach, der Doktor weicht aus, es sei nicht der Rede wert, was die Sache nur schlimmer macht, denn nun beginnt ihn Kayser zu loben, redet von den paar Texten, die veröffentlicht sind, weiß erstaunlich gut Bescheid, zitiert im Gehen die Stelle aus dem Heizer, wo der junge Roßmann die Freiheitsstatue erblickt, und verabschiedet sich mit den besten Wünschen.

Wie immer nach einem langen Besuch bleibt er tags darauf im Bett, was nicht heißt, dass er am Morgen nicht aufsteht und sich rasieren geht, im Bad vor dem Spiegel, wo er eine Weile sein Gesicht studiert. Inzwischen sieht er beinahe wie ein Kind aus, man kann es nicht deutlich genug sagen, er ist krank, aber das Auffällige ist doch dieser Ausdruck, als hätte er sein halbes Leben gebraucht, um wie ein verdruckster Primaner auszusehen, und kaum hat er diese Stufe erreicht, entwickelt er sich zurück zum Kind.

Was Dora denkt, weiß er nicht. Sie sagt ihm nicht, was sie an ihm sieht, wahrscheinlich, weil es zu offensichtlich ist, weil sie glaubt, ihn nicht beunruhigen zu dürfen, als würde nicht sein, was man nicht ausgesprochen hat. Ihm passen zum Beispiel seine Anzüge nicht mehr, alles hängt nur irgendwie an ihm herunter, sogar in seiner Wäsche ist Platz. Die Straßenschuhe dürften ihm noch passen. Aber wann hat er letztmals Straßenschuhe gebraucht? Sogar sein Kopf wirkt geschrumpft; von den Ohren weiß er, dass sie bis ins Alter wachsen. Aber er wird nicht alt. Das denkt er, seit er denken kann. Er wird sterben, wenn er jung ist, ungefähr in einem Zustand wie jetzt, ohne die geringste Weisheit.

Nicht zum ersten Mal fragt er sich, was bleibt. Er hat drei verpfuschte Romane geschrieben, ein paar Dutzend Geschichten, dazu sein Leben lang Briefe, überwiegend an Frauen, die nicht in seiner Nähe waren, Briefe und immer wieder Briefe, in denen nur stand, warum er nicht bei ihnen war und nicht mit ihnen lebte.

Er fühlt sich schwach und zermürbt und zugleich entschlossen. Er hat bereits überlegt, ob er Dora bittet, das eine oder andere zu vernichten, das Gekritzel der vergangenen Monate, alles bis auf die beiden letzten Erzählungen. Vielleicht hat er die wahren Geschichten ja noch nicht geschrieben, vielleicht liegt das alles noch vor ihm, wenn der schreckliche Winter vorbei ist, wenn er bei Kräften ist, an welchem Ort auch immer.

Immerhin das Wetter ist stabil. Man kann auf der Veranda in der Sonne sitzen und sich von Dora verwöhnen lassen, die darauf achtet, dass er in seine Decke eingewickelt ist. Sie bringt ihm die Post, etwas zu essen, ein Glas Milch oder Saft, und dann blickt er sie freundlich an, fast entspannt, bis nachmittags um vier, als sie mit der Karte des Onkels kommt, in der er seinen Besuch ankündigt. Was ist?, fragt sie, und er, weil er sofort begreift, dass das das Ende ist: Sie haben den Onkel geschickt. Noch am Abend beschwert er sich brieflich bei den Eltern, gibt sich erstaunt, obwohl er wütend ist und sich zu wehren versucht; die Sorgen seien unbegründet, für den Onkel sei Zehlendorf gänzlich uninteressant, eine so weite Reise nicht wert.

Am nächsten Tag ist er da. Wäre beim Umzug seine Telefonnummer nicht verloren gegangen, hätte man die Reise vielleicht in letzter Minute verhindern können, aber so nehmen die Dinge ihren Lauf. Am frühen Nachmittag klingelt es an der Tür, und keine fünf Minuten später steht das Urteil des Onkels fest. Der Doktor brauche dringend eine Kur, Berlin sei Gift, er müsse so schnell wie möglich an einen anderen Ort, nach Davos, in die Berge, nur um Himmels willen weg aus Berlin. Dora bittet ihn, sich zu setzen, aber der Onkel lässt sich von seinen guten Ratschlägen nicht abbringen, inspiziert wie nebenbei die Wohnung, die er gerade so durchgehen lässt, wenngleich er später meint, dass es recht gemütlich sei, etwas ärmlich, doch nicht so arg wie von den Eltern befürchtet.

Danach ist die Sanatoriumsfrage kein Thema mehr. Der Onkel ärgert sich über die Preise, ist aber voll des Lobes für die Stadt, macht mehrfach lange Spaziergänge, vom großartigen Potsdamer Platz über die Leipziger zum Alexanderplatz, belauscht im Café Josty zwei Antisemiten, denen man ihre Dummheit an der Nasenspitze ansieht. So der erste Eindruck. Er hat sich die Verhältnisse schlimmer vorgestellt, die Wahrheit ist, er mag Berlin, auch die Heidestraße, wo er Dora mehrfach zu überreden versucht, mit ihm ins Theater zu gehen, eine junge Frau wie sie müsse unter Leute. Er fragt sie nach ihrer Familie, wie sie nach Berlin gekommen ist, was vor Franz war. Einmal, als sie kurz weg ist, klopft er dem Doktor anerkennend auf die Schulter, sein Mädchen sei wirklich reizend, so besorgt, so tapfer, so bescheiden.

Der Onkel übernachtet in einer Frühstückspension am Wannsee, deshalb erscheint er nicht vor elf nach dem zweiten Frühstück. Am dritten und letzten Tag ist die Stimmung besser denn je, eine gemeinsame Karte an die Mutter wird geschrieben, die Bilanz des Onkels scheint nicht gar so übel, Franz sei in Zehlendorf sehr gut aufgehoben. Aber ein Verdacht wegen der Reise bleibt. Am Abend begleitet Dora den Onkel zu einer Lesung von Karl

Kraus, den der Doktor zwar nicht sonderlich schätzt, aber was soll's, Dora ist entzückt, sie amüsiert sich prächtig, auch später, bis nach Mitternacht in einem leeren Lokal, wo sie mit dem Onkel noch einmal die Alternativen durchgegangen ist.

Beim Abschied sagt der Onkel: Du weißt, dass du hier nicht bleiben kannst. Ich begreife gut, dass du es nicht wünschst, aber anders geht es leider nicht. Schau dich an, sagt er, schau Dora an, sie denkt nicht anders als ich. Alles in allem ist es kein guter Moment, der Onkel wirkt bekümmert, während Dora nur nickt, enttäuscht, erschöpft, auch erleichtert, wie ihm scheint, als hätte sie gerade erst entdeckt, welche Last sie mit ihm trägt.

Der Doktor hat es im letzten Moment versprochen. Er wird Berlin verlassen, schweren Herzens, mit einem klitzekleinen Rest Hoffnung. Vielleicht müssen sie ja nur warten. Man muss Geduld haben, sagt Dora, ich habe alle Geduld der Welt, um sogleich aufzuzählen, warum es nicht möglich ist, warum es ihr nichts ausmacht, dass sie überall hingeht. Vorhin hat sie mit Judith telefoniert. Immer, wenn sie mit Judith telefoniert, schöpft sie neuen Mut, sagt sie, der Ort sei doch ganz egal, auch Judith findet das, sie lasse ihn herzlich grüßen.

Robert hat geschrieben und eine Tafel Schokolade geschickt. Man müsste auf der Stelle antworten und sich bedanken, aber in diesem Schwebezustand ist an Antworten nicht zu denken. Gegen Mittag fällt etwas Schnee, später kommt die Sonne heraus, er wagt sich auf die Veranda, nicht sehr lang, mehr ratlos als bedrückt, mit einem wachsenden Gefühl der Nichtsnutzigkeit.

Am nächsten Morgen kümmert er sich um die Papiere. Er liegt im Bett, halbwegs munter, und dann fragt er sie, sagt ihr genau, was sie bringen soll, alles, was sie findet, die Hefte, Briefe, lose Blätter. Das Angenehme ist, dass sie es einfach tut. Sie wirkt überrascht, weil es aus heiterem Himmel kommt, aber dann macht sie es. Er kann hören, wie sie sucht, das Rascheln von Papier, eine Schublade, die auf- und zugeht, im Abstand weniger Minuten. Die beiden Geschichten hat er bei sich am Bett, er hat sie noch einmal geprüft, doch alles andere kann weg. Es ist wertloses Zeug, sagt er, ab und zu müsse man Ballast abwerfen. So auf einem Haufen ist es mehr als gedacht, die Sache nimmt überraschend viel Zeit in Anspruch. Dora hat sich vor den glühenden Ofen gekniet, wirft Stück für Stück hinein, muss immer kurz warten, damit das Feuer nicht erstickt, während er ihren gebeugten Rücken betrachtet, ihre nackten Füße, Sohlen. Erst als sie fertig ist, will sie wissen, warum. Ist es auch gut, ich meine, für dich? Und er sagt, ja, ich denke, erleichtert, so etwas wie gereinigt, selbst wenn er das meiste gar nicht hierhat, denn die alten Tagebücher sind bei M. und der Rest in seinem Zimmer bei den Eltern.

In der Nacht haben sie darüber gesprochen, was aus Dora wird, wenn er in ein Sanatorium geht. Dass sie in seiner Nähe bleibt, sich ein Zimmer nimmt, ihn besucht, in einer waldigen Gegend, in der man spazieren gehen und auf einer Bank die Frühlingssonne genießen kann. Sie sagt, dass sie sich inzwischen fast freut, der Onkel war ja sehr für Davos, aber das ist ihr egal, sie wird nicht aufhören, sich über jeden Tag zu freuen. Jetzt, am Morgen beim Frühstück, könnte er erzählen, dass er über eine neue Geschichte nachdenkt, nicht allzu genau, gestern, als sie längst schlief, eine Art Bilanz, wieder etwas mit

Tieren, über Musik, den Gesang, wie alles zusammen-
hängt. Vielleicht nimmt sie es ja als gutes Zeichen, denkt
er, und tatsächlich ist sie sehr erfreut, dass er Pläne hat,
das Leben geht weiter, womöglich sogar in Prag, um den
misslichen Namen zur Abwechslung auszusprechen, denn
notfalls ginge er mit Dora auch nach Prag.

12

Es ist so gut wie sicher, dass sie Berlin verlassen, und dennoch gibt es weiter schöne Momente, nachmittags, wenn sie zu ihm ins Bett schlüpft, wenn er etwas isst, sein Blick, seine Dankbarkeit, obwohl es ja an ihr wäre, dankbar zu sein, seinen Händen, seinen Füßen, ja doch, dass sie immer zu ihr gelaufen sind, in Müritz die ersten Nachmittage. Nur weil Franz und sie vielleicht wegmüssen, möchte sie die Tage nicht gering schätzen, denn es sind Tage mit ihm, das gemeinsame Leben. Sie geht ungern aus dem Haus und versucht beim Einkaufen in der Nähe zu bleiben, aber in der Nähe ist nicht viel, sie muss weit laufen, fürchtet jedes Mal wer weiß was, nach einer Stunde, wenn sie zurückkehrt und ihn hört, den Klang seiner Stimme, an dem sie erkennt, was ist.

Seit einigen Tagen hustet er schlimmer als je zuvor. Im Grunde hat sie seinen Husten noch nicht kennengelernt, aber jetzt holt sie das nach, es sind richtige Anfälle, die manchmal über Stunden gehen, morgens wie abends. Franz schickt sie immer weg, denn er benutzt das Fläschchen, er möchte nicht, dass sie sieht, was er damit macht, und es scheint dauernd voll zu sein. Einmal hat sie danach gefragt und auch etwas gesehen, da wurde er fast böse. Die Temperatur ist konstant um die 38 Grad, aber deshalb hat er keine Angst, sagt er, er liegt auf der Veranda in der Sonne und hat nur Angst vor dem Sanatorium.

Sie stellen sich weiterhin auf Davos ein. Franz hat gefragt, ob sie zusammen über Prag fahren. Ein Sanatorium im Wienerwald wird vorübergehend in Betracht gezogen, die Familie bemüht sich nach Kräften, etwas Passendes für ihn zu finden. Franz hat wie immer Bedenken wegen der Preise, aber davon will sie nichts hören. Bist du dir das nicht wert? Mir bist du alles wert. Morgens, wenn sie aufsteht, überlegt sie lange, was sie für ihn anzieht, steht im Bad, legt ein wenig Rouge auf, gerade so viel, dass er es nicht bemerkt.

Franz hat sie gefragt, was sie sich zum Geburtstag wünscht. Er kann vor lauter Husten minutenlang kaum sprechen, selbst im Gehen nicht, denn wenn es sehr schlimm ist, steht er auf und versucht zu gehen, langsam, in kleinen Schritten, während es ihn schüttelt. Er winkt ab, jetzt nicht, es ist zu dumm, gibt er zu verstehen, versucht zu lächeln, wenngleich es eher eine Grimasse wird.

Er hat die halbe Nacht gehustet, deshalb sind sie an ihrem Geburtstag völlig übermüdet. Aber sie zieht das grüne Kleid an, weil er immer behauptet, das sei Müritz. Er sagt, wie hinreißend sie darin aussieht, dass er an ihre Mutter denkt, denn ohne die Mutter hätte er sie nicht. Ihr zuliebe versucht er zu essen, möchte, dass sie Blumen für sich besorgt, und tatsächlich geht sie gegen Mittag los und kauft einen Strauß Osterglocken. Als sie zurückkommt, ist er ernsthaft krank. Er schläft, sie sitzt am Bett, fühlt seine heiße Stirn, er beginnt zu reden, wirres Zeug, aber er wirkt nicht gequält, wird kurz wach und lächelt, taucht wieder weg.

Sie brauchen dringend einen Arzt. In Breslau vor Jahren, fällt ihr ein, hat sie einen kennengelernt, er ist wie sie nach Berlin gegangen und arbeitet im Jüdischen Krankenhaus. Dr. Nelken. Erst erreicht sie ihn nicht, bittet um Rückruf. Nach zwei Stunden, als der Rückruf ausbleibt, versucht sie es ein zweites Mal, diesmal mit Erfolg, ja, Breslau, er verspricht, sich zu beeilen.

Franz sieht fürchterlich aus. Er ist aufgestanden und hat sich angezogen, empfängt den Arzt im Anzug, schildert seinen Fall, lässt sich untersuchen. Viel machen kann man nicht. Der Arzt ist ein kleiner drahtiger Mann und sagt, was sie längst wissen. Sie müssen hier weg. Das habe ich mir gedacht, sagt Franz. Jetzt ist er ihr doch sehr fern, wie er da steht, gegen die Fensterbank gelehnt, mit diesem Lächeln, als wolle er Dr. Nelken sagen, dass sein Besuch leider reine Zeitverschwendung gewesen ist.

Da sich Dr. Nelken geweigert hat, ein Honorar anzunehmen, schickt ihm Franz tags darauf ein Buch über Rembrandt. Sie bringt es zur Post, steht lange in der Schlange, nachdenklich und betrübt. Franz hat sie nicht direkt getadelt, dass sie neuerlich einen Arzt gerufen hat, aber sie hat sehr wohl bemerkt, dass es ihm nicht recht war. Auch dass sie die Sache Elli am Telefon erzählt, wäre ihm wahrscheinlich nicht recht, sie steht unten in der Halle und sagt nur Bekanntes, lässt sich den neuesten Stand bei der Sanatoriumssuche berichten; man streckt in alle Richtungen die Fühler aus, hat aber leider noch keine Lösung.

Sollen sie wirklich zusammen nach Prag? Für Franz scheint das so gut wie festzustehen, für ein paar Tage, bevor es weiter nach Davos geht, wie die Pläne weiterhin lauten. Ohne sie mache er keinen Schritt, sagt er, so seltsam es bei seinen Eltern auch werden mag, so sehr er sich vor Wochen noch dagegen gewehrt hätte. Sie reden lange von der Stadt, was er ihr zeigen möchte, falls er dazu in der

Lage ist. Er ist guter Dinge, sein Verlag hat den Vertrag für das neue Buch geschickt, es gibt Geld, bevor das Buch überhaupt da ist, eine unglaubliche Summe, behauptet er, und für einige Stunden ist das seine Freude.

Mit Prag weiß sie nicht recht.

Judith ist zum ersten Mal in der Heidestraße, sie bringt Pralinen, nachträglich zum Geburtstag, und versucht, den beiden Mut zu machen. Franz liegt auf der Veranda und beklagt, dass man viel zu wenig voneinander weiß, sie haben die Zeit nicht gut genutzt, denn nun sind sie bald fort, verstreut in alle Winde. Judith reist doch nicht im Mai, sondern schon Ende des Monats. Franz gibt ihr die Adresse der Bergmanns, für den Fall, dass sie Hilfe braucht oder sich in der alten Sprache unterhalten will. Er hofft, dass sie ihnen schreibt, wie so viele andere habe er von Palästina nur geträumt, und Sie also fahren wirklich hin, bitte vergessen Sie uns nicht. Er klingt traurig und ernüchtert, dann wieder macht er Scherze, wenigstens ein reicher Mann wird er in Kürze sein, ziemlich berühmt, wenn er sich nicht irrt, mindestens so berühmt wie Brenner.

Das Geld vom Verlag ist noch nicht da, aber er fängt schon an, es auszugeben. Er schreibt an Elli, dass er seine Schulden bei der Familie begleichen will, redet von einem großen Geschenk für die Mutter, für das Fräulein braucht er etwas und für Dora. In Prag werden sie zusammen einkaufen, verspricht er, eine neue Handtasche, einen schönen Füller zum Schreiben, was immer sie sich wünscht.

Sie möchte ihm nie mehr schreiben müssen.

Nach Prag fährt sie fürs Erste nicht. Sie haben darüber gesprochen, bei den Eltern wäre kein rechter Platz, sie müsste ins Hotel, es ist nicht absehbar, wann er einen Platz im Sanatorium bekommt, sobald sie das wissen, wird sie ihm folgen. So bedrückt wie heute hat sie ihn noch nicht erlebt. Er nimmt es täglich schwerer, den Abschied von Berlin, die bevorstehende Trennung, das Ende der Freiheit. Wie soll ich nur sein ohne dich? Kannst du mir das erklären? Er habe ihr lange nicht gesagt, was sie für ihn ist, obwohl das gar nicht wahr ist. Sie sitzen auf dem Sofa, sie denkt: nur noch dieses eine Mal, sie hat ihren Kopf gegen seine Schulter gelehnt, ach, du Dummer, du Dummer.

Morgen erwarten sie Max. Sie haben miteinander telefoniert, es gibt ein kleines Hin und Her wegen des Termins, aber er erklärt sich sofort bereit, Franz zu holen. Noch sind die Dinge an ihrem Platz, wo immer sie sich niedergelassen haben, auf dem Sofa ein aufgeschlagenes Buch, ihr Nähzeug, sein Jackett auf der Lehne, Wäsche und Kleider in den Schränken, seine Hefte. Es ist Abend, draußen ist es noch hell, man spürt, dass der Winter sich zurückzieht, sie träumen vom Frühling, irgendwelchen Reisen, zu denen es womöglich nie kommen wird, selbst in guten Zeiten nicht, falls das nicht gerade die guten Zeiten sind, und das sind sie ohne Zweifel.

Drei | **gehen**

1

MAX HAT SICH FÜR DEN SPÄTEN NACHMITTAG angekündigt, deshalb kann er noch arbeiten. Es geht ihm nicht gut, trotzdem arbeitet er seit ein paar Tagen ohne Unterlass, die Geschichte über das Singen oder vielmehr: das Piepsen, denn er schreibt eine Geschichte über Mäuse. Fast ist es wieder ein Glück, hier mit Dora in diesem Zimmer, die auf dem Sofa sitzt und ihn lässt, vielleicht zum letzten Mal, denn augenblicklich fühlt sich alles so an, als wäre es das letzte Mal. Dora hat gesagt, dass ihr der Name gefällt. Josefine. Bist du das? Eine singende Maus? Denn das hat sie inzwischen verstanden, man schreibt über Tiere und nichts weniger als über Tiere, weil sie nur ein Beispiel sind, so wie das Ich nur ein Beispiel ist, denn diesmal schreibt er in gewissem Sinne über sich. Um die Sängerin geht es nicht. Ihn interessiert der Blick der Menge, das Publikum, das sich ihren Künsten hingibt und doch jederzeit weiß, dass sie ohne große Bedeutung sind, auch nach ihrem Tod, denn eines Tages wird der Gesang von Josefine verstummen. Noch vor der Abreise nach Davos möchte er fertig sein. Weiter denkt er kaum, denn bislang ist dieses Davos nur ein Name, und zum Fürchten genügt ihm, dass er nach Prag muss. Dora würde ihn am liebsten begleiten, sie beneidet Max, ist ein bisschen böse auf ihn, aber es sind ja nur die paar Tage. Außerdem muss sich jemand um die Wohnung kümmern, Dora hat Verpflichtungen im Volksheim, während es für Max eine normale Reise ist.

Sehr viel haben sie am Abend nicht mehr gesprochen. Max ist müde von der Fahrt, muss gleich los, weil er eine Verabredung hat, nicht mit Emmy, von der er nichts weiß, schon seit Wochen nicht. Er bringt zwei große Koffer, es gibt Grüße, die übliche Besorgnis, vielleicht ein wenig mehr als das, ja, Max scheint geradezu bestürzt, voller Bedauern für Dora, dass es so zu Ende geht. Es tut mir so leid für euch. Worauf Dora in Tränen ausbricht, vor dem sichtlich betretenen Max, der wie so oft ein schlechtes Gewissen hat und sich die nächsten beiden Tage kaum blicken lässt. Dora hat zu packen begonnen, während der Doktor beruhigend an die Eltern schreibt, für ein Paket dankt, die herrliche neue Weste, die Butter. Das Fräulein hat sich bereiterklärt, ihm das Zimmer zu überlassen, dafür muss er sich bedanken, und nein, der Diener des Onkels braucht ihn am Montagabend nicht vom Bahnhof abzuholen, auch Robert möge bitte in Prag bleiben, offenbar haben sie zu Hause alle möglichen Leute verrückt gemacht. Dora fragt ihn alle paar Minuten, was mit diesen oder jenen Sachen geschehen soll, sie packt drei Koffer gleichzeitig, packt etwas aus und wieder ein, Wäsche, Papiere, vorhin die Anzüge, die er in der ersten Berliner Zeit getragen hat, die Handschuhe, den Fußsack. Einmal sagt er, dass sie eine Pause machen soll. Hier, sagt er, als wüsste sie nicht, wo er ist, sie dreht sich zu ihm hin, mit diesem Blick, den er so liebt und der ihm fast das Herz bricht.

Der Samstagabend vergeht, der Sonntagmorgen. Mit dem Schreiben ist es mühsam, aber gut zwei Seiten bringt er zustande. Die letzten Mahlzeiten finden statt, die letzten Berührungen, wenngleich sie beide so tun, als wäre ihr Leben unverändert. Dora fährt sogar für zwei Stunden ins Volksheim, wo neue Kinder eingetroffen sind, eilt zurück, fliegt in seine Arme, noch im Mantel, fast wie damals in

Müritz. Später kommt Max. Sie reden über Davos, am Rande über die Geschichte, die er so bald wie möglich vorlesen soll, was die Frage aufwirft, wo und wann. Alle rechnen weiterhin fest mit Davos, wohin ihn nach neuesten Überlegungen der Onkel begleiten wird, und so verabreden sie sich für Davos, jetzt, im beginnenden Frühling, wo es in den Bergen am schönsten ist. Das sagt Max, der Davos als Einziger kennt, und Dora sagt, ach der Frühling, wenn er nur endlich käme, denn draußen ist es zwar sonnig, aber windig und kühl.

Der Abschied ist schwer und umständlich, er scheint kein Ende zu nehmen, am Morgen beim Frühstück, im Wagen zum Bahnhof und dann noch einmal bis zur Abfahrt des Zuges. Dora ist grau vor Müdigkeit, denn sie haben kaum geschlafen, die halbe Nacht nicht, die sie in seinen Armen gelegen hat, die längste Zeit stumm, sodass er schon glaubte, sie schlafe, aber sie schlief nicht, hatte allerlei Sorgen wegen der Reise, sagte zum hundertsten Mal, dass es ja nur die paar Tage sind, wie glücklich sie mit ihm ist, vom ersten Moment an sei sie jede Minute glücklich gewesen. Noch am Bahnsteig im Anhalter Bahnhof wiederholt sie es, rennt auf einmal weg und kommt mit einer Zeitung und zwei Flaschen Wasser, plötzlich sehr fahrig, weil sie das Wichtigste vergessen hat, wie konnte ich nur vergessen, dir zu sagen, was das Allerwichtigste ist. Aber jetzt ist es zu spät, Max und er müssen ins Abteil, es hat bereits zweimal geklingelt, und dann steht sie auf dem Bahnsteig und winkt, bis er sie nicht mehr sieht.

Die erste Stunde ist er mehr oder weniger betäubt, hört wie hinter einem Schleier die Stimme von Max, der ein, zwei Sätze über Dora sagt, keinen Trost, keine Lügen über eine mögliche Besserung seines Zustands, aber über das Glück, dass er gesehen hat, nicht nur vorhin auf dem

Bahnhof, als sie vor Kummer ganz krumm war. Kurz vor Dresden schläft er schließlich ein, nicht sehr tief, alles ist flach und leer, in den kurzen Phasen, in denen er wach ist und dem Blick von Max begegnet, der ihm besorgt die Stirn fühlt und jede mögliche Unterstützung verspricht, kurz bevor sich hinter der letzten Biegung das verhasste Prag zeigt.

Sie sind alle versammelt, als Max ihn bringt, Ottla, Elli, Valli, die Eltern, das Fräulein und der Onkel. Vor allem von Seiten des Vaters meint er zu spüren, welche Enttäuschung er für die Familie ist, man ist besorgt und zugleich verstimmt, Berlin hat nur Zeit und Geld gekostet, und nun kann man ja besichtigen, was daraus geworden ist. Zum Glück hat er Max dabei, denn von Max geht seit jeher eine beruhigende Wirkung auf die Eltern aus, sie reden praktisch nur mit ihm, fragen nach der Reise, ob er zum Essen bleibt, was er umständlich ablehnt. Max möchte endlich gehen, es sei spät, sagt er, Franz müsse dringend ins Bett, und erst da, als erwachten sie aus einer Starre, beginnen sie sich um ihn zu kümmern, der Onkel bringt das Gepäck ins neue Zimmer, das Fräulein entschuldigt sich für die bestehenden Unbequemlichkeiten, während Ottla begütigend seine Hand streichelt und sich nach Dora erkundigt.

Nie hätte er gedacht, dass er noch einmal nach Prag muss. Er hat es immer befürchtet, aber nicht unter diesen Umständen. Er ist nur froh, dass Dora ihn nicht sehen kann, im viel zu kleinen Zimmer des Fräuleins, wo er an einem schmalen Tischchen sitzt und ihr schreibt, in dieser Stille, denn alles ist merkwürdig still, irgendwie gedämpft, als würde die ganze Familie nur warten, dass er fort nach Davos kommt.

Länger als ein paar Stunden geht es leider nicht. Am frühen Nachmittag, bevor er sich wieder hinlegt, ist er meistens ziemlich am Ende, das Fieber kostet seine besten Kräfte, die täglichen Besuche von Max, die ihn beleben und zugleich erschöpfen, die Gespräche über Emmy, die Max verlassen hat, den Zustand seiner Ehe. Er schreibt an den Direktor von Davos und dem Onkel, der ihn begleiten wird, dass es ihm leider nicht möglich ist, in die Anstalt zu kommen, da er wegen des Fiebers das Bett nicht verlassen kann. An Dora schreibt er: Das Bett verlasse ich durchaus, wenngleich nur für Stunden, wie du es aus Berliner Zeiten ja kennst. Für einen flüchtigen Betrachter könnte es so aussehen, als wäre es dasselbe Leben wie in Berlin, aber bei genauer Betrachtung, ohne dich, ist es das reine Gegenteil. Berlin war das Paradies, schreibt er. Wie um Himmels willen konnte ich mich von dort vertreiben lassen? Auch Dora hat geschrieben, auf dem Bahnhof auf einer Bank, eine schnelle Postkarte, der bis zum Abend zwei weitere folgen, merkwürdig gefasst und doch nicht, zwischen den Zeilen, als würde sie gleichzeitig reden und beten.

Am nächsten Tag schreibt er die letzten Sätze, als hätten sie seit Langem festgestanden, wie etwas, das man irgendwann hört und dann nach und nach notiert, wie eine Melodie auf der Gasse, wenn jemand pfeift und allen Passanten ohne Bedingung das Recht erteilt, es auf dem Weg nach Hause nachzupfeifen. Die Geschichte ist eine seiner längsten. Er begreift sehr wohl, dass sie so etwas wie das letzte Wort über sich und seine Arbeit ist, seinen alles in allem gescheiterten Versuch, Schriftsteller zu sein, die Vergeblichkeit der Kunst, die mit der Vergeblichkeit des Lebens zusammenfällt. Am Abend verliert er die Stimme. Eigentlich ist er nur heiser, aber vielleicht doch mehr, er beginnt zu piepsen wie Josefine, was ihm doch irgendwie passend vorkommt. Beim Abendessen fällt die Sache bald auf, die Mutter fragt, was er hat, aber er hat nichts, und tatsächlich, am nächsten Morgen scheint die Stimme wieder in Ordnung zu sein.

2

SEIT ER FORT IST, verbringt Dora die meiste Zeit im Volksheim, kümmert sich um die neuen Kinder, stellt mit Paul
im Speisesaal Tische und Bänke um und geht so spät wie
möglich zurück in die Heidestraße. Paul findet, dass sie
sich verändert hat. Sie ist älter geworden, ruhiger, hat er
den Eindruck, und dabei ist seit Müritz nur ein halbes
Jahr vergangen. An einem der ersten Abende in einem
Lokal hat sie lange erzählt, von Davos, wie sie sich sorgt,
wie sie ihn vermisst. Paul hat nicht gewusst, dass sie nach
Davos geht. Sie hat noch immer nicht nachgeschaut, wo
dieses Davos genau liegt, gibt zu, dass sie sich fürchtet,
wie elend Franz bei der Abreise ausgesehen hat. Manches sagt sie Paul auch nicht. Wie sie anfangs gehofft hat,
Franz habe etwas vergessen, wie sie alles durchsuchte,
wieder und wieder jedes Zimmer. Soll sie zugeben, dass
sie seine Briefe küsst? Am Morgen nach dem schrecklichen Abschied ist sie sofort zum Briefkasten gelaufen,
denn vielleicht hatte er im Zug ja gleich geschrieben, aber
das war nicht der Fall. Alles war schlimm, als sie erwach-
te, als sie den Frühstückstisch deckte, für sich und ihn,
zwei Teller, Messer, Gabel, als sie nicht mehr wusste, wie
seine Stimme klingt, aber dann doch, sein Lachen ungefähr, wenn sie sich bemühte. Im Sommer, nach seiner
Abreise, hatte sie wochenlang die kleinste Kleinigkeit von
ihm gewusst, aber diesmal ist sie völlig durcheinander, sie
vergisst ihr Portemonnaie, erschrickt, wenn in der Halle

das Telefon geht, rennt zu den unmöglichsten Zeiten zum Briefkasten.

Der erste Brief ist noch ziemlich lang. Er schreibt von der Reise, den verdämmerten Stunden, über den Empfang bei den Eltern, die er erst lobt, um sich dann zu beklagen, wie wenig man sich zu sagen hat. Das meiste kann sie sehen. Die gute Ottla kann sie sehen, Elli und die Mutter, die hoffentlich respektieren, dass er Ruhe braucht. Täglich kommt Max, einmal Robert, der sie grüßen lässt. Mit der Geschichte ist er inzwischen fertig, aber das Fieber geht nicht weg, die rauchige Stimme, an die sie sich wird gewöhnen müssen. Er schreibt, dass er von ihr träumt, so gut wie jede Nacht, auch wenn er am Morgen vieles nur ahnt. Aber sie ist da, hütet seinen Schlaf, falls er mal schläft, denn oft liegt er bis zum Morgen wach. Frühling wird es auch, in Prag nicht weniger als in Berlin. Die Mutter liest ihm jeden Morgen vor, was über Berlin in der Zeitung steht, auch Ottla lässt sie grüßen, lang und herzlich. Bald, schreibt er. Ich hoffe, du erschrickst nicht über mich. Willst du nicht Frau Busse fragen, ob du ein paar Dinge unterstellen kannst, wenn sich nichts anderes findet?

An Frau Busse hat sie bislang nicht gedacht. Anfangs hat man sich nicht sonderlich beachtet, aber jetzt stellt sich heraus, dass sie sehr freundlich ist und Anteil nimmt. Erst gestern stand sie vor der Tür und erkundigte sich nach Franz. Die Wohnung ist bis Ende März bezahlt, aber wenn es nach Frau Busse geht, braucht sich Dora nicht zu sorgen, schon gar nicht wegen der Sachen, denn es gibt einen Keller, das Haus ist groß und leer, sie habe sich leider immer noch nicht daran gewöhnt. Dora hat sie kurz hereingebeten, man sitzt bei einer Tasse Tee und redet über die Männer, die nicht da sind, die schreckliche Spanische Grippe, die Millionen von Menschen das Leben gekostet hat, damals, in den letzten Kriegswochen und dem darauffolgenden Winter. Am fünften Tag morgens um acht ist er gestorben, sagt Frau Busse, und Dora erwähnt, dass auch Franz die Grippe gehabt hat und lange nicht sicher war, ob er sie überleben würde. Irgendwie kommen sie aufs Schreiben, denn das ist die andere Gemeinsamkeit ihrer Männer, wenngleich Dora nie eine Zeile Busse gelesen hat und Frau Busse nie eine Zeile von Franz. Einmal nennt Frau Busse sie armes Kind, dann wieder möchte sie wissen, warum sie und Franz nicht verheiratet sind; solange beide leben, sei es ja beinahe egal, aber als Witwe denke man doch anders. Oder lehnen Sie die Ehe ab? Mein Mann war in diesen Fragen sehr streng, zum Glück weiß er nicht, in welche Zeiten wir geraten sind. Sie haben etwas sehr Jüdisches, sagt sie, na ja, die Nase, glaubt sie, weil Dora so hübsch ist, im Allgemeinen seien Jüdinnen doch sehr hübsch.

Sie trifft sich mit Judith, die Frau Busse eine Antisemitin nennt und findet, dass man sich von einer Antisemitin nicht helfen lässt. Aber leider ist das nicht mehr die Frage, denn Franz hat geschrieben, dass es mit Davos nichts wird, man hat ihm keine Einreisegenehmigung erteilt, alle Pläne haben sich zerschlagen. Die genauen Gründe teilt er nicht mit, doch er wird aus Prag vorläufig nicht wegkönnen, die Suche nach einem Sanatorium beginnt von vorn, sie werden sich so bald nicht sehen. Dora sagt, dass sie das Warten verrückt macht, dabei ist er erst seit einer Woche fort, und im Herbst waren es mehr als sechs Wochen. Judith redet dauernd von diesem Arzt, der sie natürlich verführen will oder längst verführt hat, so genau will sie sich dazu nicht äußern. Sie sieht sich schon als Bäuerin, mit einem Spaten in einer Wüste, zusammen mit diesem Fritz. Sie macht einen Scherz über die beiden Namen, das F und das R, offenbar bringen die beiden Buchstaben Glück, wenngleich die Reise nach Palästina keineswegs sicher ist, es ist gar nicht so leicht, eine Genehmigung zu erhalten, und verheiratet ist ihr Fritz leider auch. Man muss abwarten, sagt Judith und klingt sehr nachdenklich dabei, vielleicht lebe ich ja das falsche Leben, anders als du, selbst wenn du dir große Sorgen machst, denn auch darum beneide ich dich.

Die Abende sind am schwersten. Wenn sie ihm schreibt und spürt, dass sie ihm nicht nahekommt, dass sie nicht da ist, wo sie sein sollte, dass sie ihn nicht trösten kann. Einmal schreibt er von einem Traum. Straßenräuber haben ihn aus der Wohnung in der Heidestraße entführt und auf einem Hinterhof in einen Schuppen eingesperrt, und als wäre das nicht schlimm genug, sie fesseln und knebeln ihn, lassen ihn allein, in einer dunklen Ecke in diesem Schuppen, sodass er sich schon verloren glaubt, aber vielleicht doch nicht, denn plötzlich hört er ihre Stimme, ganz in der Nähe deine wundervolle Stimme. Er versucht sich schnell loszumachen, kann sich sogar den Knebel aus dem Mund reißen, aber eben in diesem Augenblick wird er von den Räubern entdeckt, und sie knebeln ihn von Neuem. Ist das nicht ein enttäuschender Traum, gerade, weil er so wahr ist? Er würde gerne anders von ihr träumen. In gewissem Sinne träume er ja ununterbrochen von ihr, nachmittags im Bett, an den Abenden mit den Eltern, wenn er spazieren geht, denn gestern ist er den halben Weg zum Hradschin gegangen, allein und wieder nicht allein, denn dauernd habe er ihr etwas gezeigt, nur so in Gedanken, als wäre sie hier in Prag, für ein paar Stunden, um mit ihm durch die vertrauten Gassen zu gehen.

So hangelt sie sich von Brief zu Brief. Sie wartet morgens auf den Abendbrief und findet bei ihrer Rückkehr den Brief vom Morgen. Oft liest sie im Stehen, noch im Mantel, um nur ja keine Zeit zu verlieren, auf dem Weg zur Bahn, weshalb ihr manches entgeht und sie so am Ende zwei Briefe hat, einen ersten, der wie Musik ist, und einen zweiten, der aus Worten besteht. Ein neues Sanatorium ist weiterhin nicht in Sicht, und dann auf einmal doch, in der Nähe von Wien, etwa eine Stunde entfernt, nach Auskunft des Onkels mit einem ebenso erstklassigen Ruf wie Davos. Die Sache ist so gut wie beschlossen, sein Pass ist auf dem Amt, auch Dora soll sich um eine Genehmigung kümmern, obwohl er das nur andeutet, seine Hoffnung, dass sie bald bei ihm ist. Ja, Wien, das ist gut, antwortet sie, als wäre Wien seit jeher ihr Traum gewesen. Dabei werden sie die Stadt wahrscheinlich nicht sehen, und eine Genehmigung kann auch von österreichischen Behörden verweigert werden. Was soll ich sagen, schreibt sie, denn ein Anlass zur Freude ist es ja nur bedingt. Was immer sie gefreut hat, war in ihren drei Wohnungen, deshalb zählt sie ihm alles auf, die Silvesternacht im Bett, das Mädchen mit der Puppe, mein Gott, die Umzüge, ja, die Zimmer, die Tische, an denen er geschrieben hat. In einer Sofaritze hat sie einen Stift gefunden, sicher hat er ihn schon vermisst, mit diesem Stift schreibe sie ihm. Ihre Schrift verändert sich, hat sie den Eindruck, sie wird der seinen immer ähnlicher, der ganze Schwung, das Verspielte, und bei diesem Gedanken wird ihr fast leicht, als wäre es ein Beweis für ihre Verbindung, ihre bedingungslose Bereitschaft.

Halb wartet sie, halb macht sie sich bereit. Sie stellt einen Einreiseantrag für Österreich, beginnt zu packen, die Sommersachen, die meisten Bücher, alles, von dem sie glaubt, dass sie es nicht mehr braucht. Wahrscheinlich muss sie für ein paar Tage zu Judith, der März ist fast zu Ende, aber vielleicht entwickeln sich die Dinge ja schneller als gedacht. Sie beginnt sich zu verabschieden, trifft sich mit Paul, bespricht sich mit den Leuten vom Volksheim, dass sie nicht wisse, ob und wann sie wiederkomme. Paul bietet ihr seinen Keller zum Unterstellen an, sie kann jederzeit bei ihm wohnen, was sie höflich ablehnt. Selbst wenn Franz halbwegs gesund wird, ist nicht sicher, ob sie zurück nach Berlin geht. Selbst wenn er so viel Kraft wie im Herbst hätte, müsste man ja überlegen, ob sie nicht besser in Prag bleiben, in der Nähe seiner Familie, oder aufs Land ziehen, nach Schelesen oder wie immer all die Orte heißen, an denen er schon gewesen ist.

3

DER ONKEL HAT SICH PROSPEKTE vom neuen Sanatorium schicken lassen. Es liegt oberhalb des Dorfes Ortmann in einer hügeligen Landschaft, breit in den Hang gebaut, nach außen ein gepflegtes Hotel, aber innen sehr modern, mit großem Speisesaal, Salon, Musikzimmer. Erst vor wenigen Jahren ist die Anlage bis auf die Grundmauern niedergebrannt, deshalb weiß man nicht, ob die Fotografien das aktuelle Aussehen wiedergeben, was der Onkel aus unerfindlichen Gründen behauptet, er lobt das Haus in den höchsten Tönen und wirkt ein wenig verärgert, dass sich der Doktor über die neuen Aussichten nicht freut. Am Morgen hat er der Mutter eine Vollmacht zur Abholung des Passes ausgestellt, doch vor Ende der Woche ist mit einem Bescheid nicht zu rechnen, was für die Mutter Anlass zu mancher Sorge ist; sie freut sich, dass er da ist, aber es ist zu wenig Platz, alles ist durcheinander. Dazu kommt zu den unmöglichsten Zeiten Besuch, fast täglich Max, einmal Ottla mit den Kindern, die, weil sie sich langweilen, lärmend durch die Wohnung stürmen; Robert lässt sich sehen, Elli mit Valli und noch einmal Ottla.

Mit Ottla ist es wie so oft am leichtesten. Sie finden auf Anhieb in den vertrauten Ton, träumen gemeinsam vom Land, damals in Zürau, als sich Ottla als Bäuerin versuchte und er einige Monate bei ihr lebte. Weißt du noch die Mäuse? Die Mäuse habe ich mit der Katze vertrieben, aber womit sollte ich die Katze vertreiben? Ottla und ihre Leute haben damals praktisch gehungert, im vierten Jahr des Krieges, doch sie erinnert sich oft und gerne an die Zeit und sagt, dass sie mal wieder hinmöchte, wenn es dir besser geht, im Mai, wenn du das Sanatorium hinter dir hast, zusammen mit Dora, wenn es richtig warm ist. Mach mir keinen Kummer, sagt sie. Dabei scheint sie selbst Kummer zu haben, die Ehe mit Josef ist schwierig, er ist viel weg, zieht sich zurück, auch von Vera und Helene, die sich ungefähr darüber beklagen. Wenn sie ihn besucht, legt sie sich halb zu ihm ins Bett, mit geschlossenen Augen, weil sie so angeblich besser denken kann, und irgendwann steht sie mit einem Ruck auf und geht, nicht ohne ihn zum Abschied zu küssen.

Kommt Max, hört er ihn im Vorzimmer mit den Eltern sprechen. Max wird seit Jahren wie ein Mitglied der Familie behandelt, man ist voller Respekt, weil er ein berühmter Mann ist, der geheiratet hat und ein Leben nach dem Geschmack des Vaters führt. Zumindest hat er Erfolg, er reist, tritt bei öffentlichen Veranstaltungen auf, kann etwas vorweisen, in jeder größeren Buchhandlung ein halbes Dutzend Titel, was man vom ewig kränkelnden Doktor nicht behaupten kann. Max sind solche Vergleiche peinlich, andererseits hat er bei den Eltern oft ein gutes Wort einlegen können, nach der gescheiterten Verlobung, oder jetzt im Herbst, als der Doktor unter Vorspiegelung falscher Tatsachen nach Berlin gegangen ist, ausgerechnet mit einer Ostjüdin. Sie werden sich gewöhnen, sagt Max. Lernen sie Dora erst kennen, werden sich die Vorbehalte schnell zerstreuen.

Von der Krankheit reden sie nur am Rande oder in der altbekannten Weise, als wäre sie ein Gast, der sich gelegentlich zeigt und dann höflich verschwindet, was sie beide inzwischen eher bezweifeln. Der Doktor liest die Mäusegeschichte, mit der neuen Stimme, die ihn zu mehreren kleinen Pausen zwingt, aber die erste Reaktion von Max ist beglückend, es gibt viel Lob, die Mäusegeschichte gehöre zum Besten, was er je geschrieben hat.

An Dora schreibt er, dass es kaum etwas zu berichten gibt, über sein Leben im Bett, hin und wieder eine Kleinigkeit von Besuch, dass er kürzlich aufgestanden sei und das Unternehmen gleich aufgegeben habe, dass er wenig schreibt, dass er an sie denkt, viel in den alten Zimmern spazieren geht, die bekannten Wege in Steglitz. Dora ist dabei, die Wohnung zu verlassen, sie zieht zu Judith und drängt in jedem Brief, dass sie nach Prag will, jede weitere Stunde sei vergeudet. Sie ist noch einmal in der Miquel- und der Grunewaldstraße gewesen, stand dort lange ungläubig herum, als habe es ihr Berliner Leben nie gegeben. Sie glaubt, dass Frau Hermann sie bemerkt hat, eine kurze Bewegung hinter dem Fenster, weshalb sie schnell weggelaufen sei. Bitte, lass mich zu dir. Habe ich alles nur geträumt? Wenn du die Papiere hast, setze ich mich in den Zug. Deine Eltern müssen mich ja nicht sehen. Wir treffen uns am Bahnhof, du nimmst dir einen Wagen, und dann falle ich dir in die Arme. Bis Ende der Woche, hofft er, müsste die Genehmigung erteilt sein. Ich bin kein erfreulicher Anblick, schreibt er. Aber eine Weile kann er die Szene glauben, am Bahnhof, den Moment, wenn sie aus dem Wagen steigt, müde von der Fahrt, etwas kleiner, als er sie in Erinnerung hat, mit diesem hinreißend schiefen Lächeln.

Nach einer halb durchwachten Nacht verwirft er den Plan. Er kann in seinem Zustand nicht allein zum Bahnhof, Dora müsste ihn bei den Eltern abholen, was aus den bekannten Gründen unmöglich ist, und so bleibt es dabei, dass er mit dem Onkel fährt und Dora erst im Sanatorium trifft. Er deutet an, wie sehr er sich fürchtet, selbst wenn man Genaues natürlich erst vor Ort weiß. In manchen dieser Anstalten wird man jede Minute daran erinnert, dass man krank ist, andere sind wie Hotels, aber irgendeine Art von Regime besteht am Ende immer, es gibt den Essenszwang, der ihm seit jeher der größte Gräuel gewesen ist, es gibt Ärzte, peinliche Verhöre bei der Ankunft, in schweren Fällen Medikamente, Spülungen, Injektionen mit Menthol und dergleichen Maßnahmen mehr. Das meiste hat er in der einen oder anderen Variante schon kennengelernt, was die Sache nicht besser macht, denn bei seinen früheren Aufenthalten war er vergleichsweise gesund, und diesmal scheint die Sache ernst zu sein. Vor dem Spiegel macht man sich leicht etwas vor, schließlich kommen die Veränderungen schleichend, man hat sich daran gewöhnt, was leider heißt, dass man keinen objektiven Blick hat. Das also ist mein Gesicht? Na gut, das also ist mein Gesicht, aber die raue Stimme ist doch auffällig, selbst wenn Elli sie gar nicht bemerkt und lieber über sein Gewicht redet, dass er nicht isst, seinen erbärmlichen Zustand, für den sie ohne Wenn und Aber Berlin verantwortlich macht.

Alle warten, dass er endlich fährt. Am meisten er selbst, aber auch seine Umgebung, die Mutter, die ihm mehrmals am Tag die Post bringt, das Fräulein, das in sein Zimmer will, selbst Max, der sich bei jeder Gelegenheit über den Schlendrian der Behörden erregt und nicht merkt, wie er den Doktor damit langweilt. Es wird Zeit, dass er ihnen nicht länger zur Last fällt, als Kranker ist man doch eine Zumutung, es gibt keinen Stoff für Gespräche. Das Waschen und Anziehen ist ihm lästig, der dauernde Lärm, der auch nicht aufhört, wenn er behauptet, schlafen zu müssen, und dann oft schläft, gelegentlich etwas notiert, eine Sterbeszene auf dem Land, von der er geträumt hat, warum man den Tod nicht fürchten muss. Jetzt, am späten Nachmittag, ist er ausnahmsweise allein. Er liegt im Bett, alles ist angenehm ruhig, die Eltern sind ausgegangen oder lesen Zeitung. Er weiß, dass es die letzten Tage oder Stunden sind, aber er empfindet nichts, hat nur ein dumpfes voreiliges Gefühl der Erleichterung, und tatsächlich, am nächsten Morgen hat er die Einreiseerlaubnis, übermorgen verlässt er die Stadt.

Da ihn der Onkel wegen einer lange geplanten Venedigreise nicht bringen kann, erklärt sich Ottla bereit, was ihm von allen Möglichkeiten die liebste ist. Es wird überlegt, was er für das Sanatorium braucht, es werden Koffer geholt, Ottla und die Mutter packen, sodass er die nächsten Stunden kaum Ruhe hat. Am Abend ruft er Dora an, die bei Judith ist und gerade Essen macht. Offenbar hat er sie erschreckt, sie hat Mühe mit seiner Stimme, aber dann freut sie sich, endlich hat das Warten ein Ende. Mein Gott, ich glaube es nicht. Bist du's wirklich? Es ist sehr seltsam, mit ihr zu telefonieren, als wäre sie nicht weit weg, praktisch nebenan, sodass er seinen alten Widerwillen kurz vergisst. Dora will sich gleich morgen Früh eine Fahrkarte nach Wien besorgen, auch ein Zimmer wird sie brauchen, am besten in der Nähe des Bahnhofs, in ein paar Tagen, Liebster, denk nur, in ein paar Tagen. Zu Beginn des Gesprächs war sie fast schüchtern, aber jetzt klingt sie richtig fröhlich, sie lacht, redet zwischendurch mit Judith, die ihn grüßen lässt, sagt noch einmal, wie überrascht sie gewesen ist, deine Stimme am Telefon, wer hätte das gedacht. Wenn es nach ihr ginge, würde sie gar nicht mehr aufhören und immer so weiter mit ihm plaudern, im Bett, unter der Decke, mit deiner Stimme.

4

DIE TAGE VOR DER ABREISE verbringt sie wie im Nebel.
Sehr schnell wird ihr alles fremd, die Gesichter auf den
Straßen, der Verkehr, die niedergedrückte Stimmung.
Franz hat darauf bestanden, dass sie nur für ein paar Tage
zu ihm reist, doch ihr Gefühl sagt ihr, dass es für immer
ist. Am schwersten fällt ihr der Abschied vom Volksheim,
von Paul, der sie unablässig beschwört: Der Doktor müsse gesund werden, natürlich werde er das, wenn es ihm
besser geht, lebt ihr wieder in Berlin. Er möchte, dass sie
es verspricht, aber das kann sie nicht, außerdem muss sie
zu den Kindern, die ein Heft mit hebräischen Liedern
für sie haben; es wird gebetet und gesungen, dann muss
sie alle reihum umarmen, erst lange nach sechs reißt sie
sich los.

Zu erledigen gibt es nicht mehr viel. Judith fragt sich,
wie Dora um Himmels willen mit so wenig Gepäck auskommen will, für Palästina wird sie mindestens das Doppelte brauchen, Wintersachen ja wohl nicht, dafür jede
Menge Bücher für die lauen Abende, an denen sie hoffentlich zum Lesen kommt. Derzeit sieht sie sich mehr
als Krankenschwester, an der Seite von Fritz, mit dem sie
offensichtlich ein Verhältnis hat, denn dauernd sagt sie
Wir, was sie sich überlegt haben, er und sie. Judith hat
gekocht, und diesmal gibt sie sich richtig Mühe, nimmt
Dora in den Arm, versucht ihr Mut zu machen. Du bist

stark, sagt sie, du liebst ihn, ihr werdet es schaffen. Dora hat seit dem Morgen daran gedacht, dass er jetzt mit Ottla im Zug sitzt, wie lange sie noch haben. Jetzt, am frühen Abend, ist er sicher längst im Sanatorium. Sie stellt sich vor, wie er erschöpft ins Bett fällt, und ist froh, dass er Ottla hat. Sie erzählt ein wenig von Ottla und dann wieder von Franz, und Judith gesteht, dass sie nicht weiß, ob ihr Fritz der Richtige ist, aber das ist ein altes Thema, wie erkennt man, ob es der Richtige ist. Schon in Döberitz haben sie darüber gesprochen, damals, als sie beide nicht ahnten, was aus ihnen werden würde. Judith sagt: Ich hätte dich gerne mitgenommen, und für einen Moment ist das ziemlich schlimm, denn in diesem Moment möchte sie am liebsten mit.

Erst auf dem Weg zum Bahnhof wird sie ruhig und klar. Judith hat sie unbedingt begleiten wollen, sie sind spät los, deshalb bleibt kaum Zeit, sich zu verabschieden. Dora muss versprechen, so bald wie möglich zu schreiben, und dann ist sie schon auf ihrem Platz, auf dem Weg zu Franz. Sie hat seine Briefe mit, alles, was sie im Januar behalten hat, eine Handvoll Hefte, die ihr nicht gehören und die sie ohne sein Wissen gerettet hat. Die längste Zeit träumt sie nur, blättert in der Zeitung, wartet, dass die Zeit vergeht. Der Schaffner kommt, irgendwann erreichen sie die Grenze, wo sie ihren Pass zeigt, das Gepäck oben auf der Ablage. Für Franz endet gerade der zweite Sanatoriumstag, keine zwei Stunden von ihr entfernt. Eine Ungarin, mit der sie ins Gespräch gekommen ist, hat ihr das Hotel Bellevue empfohlen, es ist gleich um die Ecke. Ist sie wirklich in Wien? Die Stimmung scheint nicht gar so anders als in Berlin, der Geldwechsler im Bahnhof ist nicht eben freundlich, aber ein winziges Zimmer unter dem Dach kann man ihr geben, sie hat einen weiten Blick über die Gasse, sie hört den Bahnhof, an dem vor Tagen auch Franz angekommen ist.

Am nächsten Vormittag ruft sie in Prag an. Sie hat Glück, dass Elli an den Apparat geht, denn mit Elli hat sie bereits gesprochen, damals, kurz vor Weihnachten, als sie ähnlich atemlos geklungen haben muss. Was sie erfährt, ist nicht viel. Franz hat die Reise wohlbehalten überstanden und bittet um ihre Wiener Adresse, sie soll nicht früher losfahren, als sie nicht Antwort von ihm hat. Sie erhält die Adresse des Sanatoriums, schickt ein sündhaft teures Telegramm, in dem nur steht, dass sie bereit ist, das Hotel, Adresse und Telefonnummer, wie sie sich sehnt. Noch heute Nachmittag kann sie bei ihm sein. Dann wartet sie, mit einem Anflug von Unwillen, den sie sich kaum eingesteht, denn warum macht er die Dinge so kompliziert. Die ersten Stunden gehen irgendwie hin. Eine Antwort dauert, hab Geduld, sagt sie sich, aber dann, ab dem Nachmittag, wird es eine Qual. Er könnte sie anrufen oder anrufen lassen. Bitte ruf mich an. Oder geht es ihm so schlecht? Bis lange nach neun sitzt sie in der Hotelhalle, isst zwischendurch im Restaurant, in einem Zustand stummer Verzweiflung. Morgen, beruhigt sie sich, die eine Nacht noch. In seinem letzten Brief klang er so sanft und sehnsuchtsvoll, und so liest sie zum Trost seinen Brief, schaut wieder und wieder zur Rezeption, wo das Telefon ist, die schmalen Fächer für die Post, die meisten leer, oben die ersten Reihen, in denen ein Fach für sie ist.

Den nächsten Tag rennt sie nur. Er hat geschrieben, dass er sie erwartet, und seither scheint sie zu fliegen, eilt zum Bahnhof, wo sie in den ersten Zug nach Pernitz steigt. Auch während der Fahrt bleibt sie immerzu in Bewegung, läuft im Wagen auf und ab, registriert draußen die neue Landschaft und liest zum hundertsten Mal das Telegramm. Bei der Ankunft in Pernitz kennt sie sich zuerst nicht aus, fragt einen älteren Bauern nach dem Weg, angeblich gibt es einen Bus, der aber selten fährt, sodass sie lieber zu Fuß geht, eine kurvige Straße, bei herrlichstem Sonnenschein. Anfangs ist das Tal sehr eng, dann allmählich weitet es sich, hie und da ein Hof, und dann, nach über einer Stunde, entdeckt sie in der Ferne das Sanatorium, einen hohen, breiten Bau mit zwei Türmen, viel größer als das Hotel in Wien, fast ein Schloss. Es ist nicht besonders warm, trotzdem sieht man im Näherkommen überall Patienten in Schlafröcken, auch auf den Balkonen, wo sie vergeblich nach Franz Ausschau hält, Schwestern in weißer Tracht, die Rollstühle durch den Park schieben oder Kranke beim Gehen stützen. Sie hat sich den Ort trostloser vorgestellt. Und dennoch ist da eine gewisse Scheu, drinnen an der Rezeption, wo man ihren Namen wissen will und sie nicht zu ihm lässt, aber dann doch, im ersten Stock links sei sein Zimmer. Auf den letzten Metern meint sie vor Aufregung zu zerspringen. Sie klopft, und als niemand antwortet, geht sie einfach zu ihm, steht vor seinem Bett und erkennt ihn kaum. Sie wagt ihn nicht zu küssen, steht am Ende der Welt in diesem Zimmer und sagt: Ich bin da. Endlich, sagt sie. Er lächelt, zeigt mit einer Bewegung des Kopfes auf einen Stuhl, etwas verschlafen, offenbar hat sie ihn geweckt. Er flüstert, aber anders, als sie es kennt, sie fragt, was um Himmels willen mit seiner Stimme ist, und erst jetzt setzt sie sich aufs Bett, nimmt seine Hand, mit einem vorsichtigen Druck, den er sofort erwidert. Auf den ersten Blick ist er unverändert. Er ist schwach, schmaler als zuletzt in Berlin, aber es ist Franz. Anfangs denkt sie nur das: Ich bin hier bei ihm, alles andere kümmert mich nicht. Sie hört nicht richtig zu, was er sagt, die Namen der Medikamente, dass er Schmerzen hat. Das Flüstern allein wäre nicht der Rede wert, aber die Krankheit hat auf den Kehlkopf übergegriffen, die Ärzte reden von einer Schwellung, zum Glück nichts Bösartiges, wie es scheint. Er erkundigt sich nach der Reise, ob sie eine Unterkunft hat, denn hier im Haus kann sie nicht bleiben. Nach einer Stunde wird sie vor die Tür geschickt, und erst jetzt, auf dem Flur, beginnt sie zu begreifen, an welchem Ort sie ist. Hinter der nächsten Tür hört man jemanden husten, minutenlang, auch in den weiter entfernten Zimmern, jemand stöhnt, ein anderer lacht, obwohl es mehr wie ein Weinen klingt. Sie darf zurück zu Franz, kümmert sich zwischendurch um die Unterkunft, sitzt an seinem Bett, nun schon einigermaßen gewappnet, wie sie glaubt. Gestern Abend in Wien hat sie sich wer weiß was vorgestellt, sie meinte vor Sehnsucht zu vergehen, und jetzt liegt er da in diesem Zimmer, seltsam fern, als könne sie ihn nicht erreichen, wie konnte sie nur glauben, dass sie ihn wie in Berlin hat.

Den Bauersleuten, bei denen sie wohnt, hat sie gesagt, sie besuche ihren Mann, er sei krank, was sie augenscheinlich längst wissen. Sie sprechen einen schwer verständlichen Dialekt, geben ihr Milch und Brot, nicken ihr bei jedem Bissen zu, auf eine aufmunternde Art, die sie sich für Gäste wie Dora angeeignet haben. Das Zimmer ist einfach und sauber, alles ist aus Holz, selbst Wände und Decke; zum Waschen gibt es einen Krug Wasser und eine Schüssel, zum Frühstück wieder Milch und Brot. Sie ist früh wach und vor acht oben im Sanatorium, wo man sie unter Hinweis auf die Besuchszeiten wegschickt. Sie protestiert, trotzdem schickt man sie weg, sie hat nicht die geringste Ahnung, wie sie die nächsten Stunden überstehen soll, stolpert eine Weile durch den Park, geht zurück in ihr Zimmer und wieder hoch zum Sanatorium.

Auf halbem Weg gibt es ein lang gestrecktes Gebäude, in dem die Leute kegeln, Patienten im Schlafrock und ein, zwei Pfleger, in einer lärmend-fröhlichen Atmosphäre. Viertel vor eins ist sie bei Franz, der sich sichtlich freut, beinahe mehr als gestern. An das Flüstern hat sie sich gewöhnt, sie vermisst seine Stimme, aber es ist schön, dass sie miteinander sprechen. Wie immer macht er sich Sorgen um das Geld. Jeder Tag im Sanatorium koste ein Vermögen, dazu die Medikamente, deren Namen sie sich allmählich zu merken beginnt: gegen das Fieber dreimal täglich flüssiges *Pyramidon*, gegen den Husten *Atropin*, dazu irgendwelche Bonbons. Keines der Medikamente hilft. Franz kann wegen der Schwellung des Kehlkopfs seit Tagen nicht essen, der Arzt, der gekommen ist, redet von Injektionen in den Nerv, auch eine Resektion müsse in Betracht gezogen werden, wozu nur Spezialisten in einer Wiener Klinik in der Lage seien. Erst versteht sie nicht. Der Arzt, der ihnen die Nachricht bringt, ist ungeduldig, Franz schüttelt den Kopf, doch so schwer ist es eigentlich nicht zu begreifen, man kann hier im Sanatorium nichts weiter für ihn tun, sie müssen weg, nach Wien in die Klinik von Prof. Hajek, so schnell wie möglich.

Die Bauersleute sind beim Frühstück, als sie sich verabschiedet. Auch Franz ist längst wach, in nicht gar so schlechtem Zustand, wie sie befürchtet hat. Die Entlassungspapiere sind unterschrieben, es bleibt nicht viel Zeit zum Nachdenken, aber vielleicht ist das ja gut, man macht alles automatisch, in der dafür vorgesehenen Reihenfolge. Es wird nach einem Wagen geschickt, sie packt, während Franz an die Eltern schreibt. Die Fahrt bei Wind und Regen ist entsetzlich. Aus unerfindlichen Gründen gibt es keinen Wagen mit Verdeck, und so fahren sie die unendlich lange Strecke ohne jeden Schutz, Dora mit geöffnetem Mantel vor ihm stehend, wie betäubt, als wäre es nicht wahr. In der Klinik führen sie ihn gleich weg, erst nach einer Ewigkeit darf sie auf sein Zimmer. In Wahrheit ist es eher eine Zelle, er liegt mit zwei schrecklich leidenden Menschen Bett an Bett, am Kehlkopf irgendwelche Apparate, vor denen man sich nur fürchten kann. Franz schickt sie schnell fort, und also quartiert sie sich neuerlich im Hotel Bellevue ein, wo sie eine von Franz begonnene Karte an Robert zu Ende schreibt, unter dem Eindruck der bedrückenden Klinik. Es sei nichts mehr zu verlieren, schreibt sie, Franz könne nicht mehr sprechen. Und tatsächlich bemerkt sie erst jetzt, dass er nicht mehr gesprochen hat, seit dem Morgen nicht, nicht mal geflüstert, und trotzdem hatte sie dauernd das Gefühl, als rede er mit ihr, wie damals in Müritz, selbst wenn er nicht da war, in ihr drin, als wären sie dort beisammen und würden sich immerzu unterhalten.

5

AM ERSTEN TAG LASSEN SIE DEN DOKTOR noch in Ruhe. Bei der Aufnahme haben die Ärzte manches gefragt, nach dem ungefähren Verlauf der Krankheit, wann und wie oft er hustet, über den Schleim, das Blut, damals in jener Nacht, das Fieber in Berlin, das erste Piepsen in Prag, was sie mit ihm vorhaben, sodann über die Wirkung von Menthol, dass sie eine Besprühung des geschwollenen Kehlkopfes derzeit für die beste Maßnahme halten, schließlich müsse er essen, sein Gewicht sei unter fünfzig, weiter dürfe es nicht fallen. So reden sie mit ihm, nicht unbedingt offen, als hätten sie sich verständigt, nur immer das Nötigste preiszugeben, aber sehr viel genauer möchte er es womöglich nicht wissen. Auch mit seinen Bettnachbarn hat er schon Bekanntschaft gemacht. Man hat sich begrüßt, mit einem Nicken oder Winken, denn zu viel mehr sind sie nicht in der Lage. So im Vergleich fühlt er sich fast wie ein Gesunder. Die Schmerzen im Hals sind unerträglich, aber er hat eine Stimme, trinkt, in vorsichtigen Schlucken, über den Vormittag verteilt jede halbe Stunde. Erfreulich ist sein Zustand nicht, aber er beißt die Zähne zusammen, vor allem vor Dora, die zum Stephansdom spaziert ist und einen betrübten Eindruck macht. Er schreibt ein paar Zeilen an die Eltern, die üblichen Lügen, dass er gut untergebracht sei, unter der besten ärztlichen Aufsicht, ohne dass abzusehen ist, wie lange. Dora stört ihn immerfort mit Fragen, sie benetzt mit einem nassen Lappen Stirn und Lippen, sie hat ihn zur Begrüßung geküsst und küsst ihn später wieder, lange nach Ende der Besuchszeit, unter den tadelnden Augen eines Pflegers.

Der Arzt, von dem er die erste Einspritzung erhält, ist neu im Haus, in Doras Alter, anfangs unangenehm nervös, sodass die Dinge leider dauern. Die Pinselspritze hat eine lange gebogene Nadel, die doch einigermaßen zum Fürchten aussieht, doch das Unangenehmste sind die Prozeduren davor, das Blättern in Papieren, das Aufziehen der Flüssigkeit, während man zitternd auf einer Art Pritsche liegt, halb Bett, halb Stuhl. Ich habe mich noch gar nicht vorgestellt, sagt der Arzt, einen Namen, der sofort weg ist, und dann fährt er mit dem metallenen Ding tief in seinen Rachen, stochert ein halbe Ewigkeit herum, bis alles an der gewünschten Stelle ist und eine ölige Flüssigkeit verteilt wird. Ist es noch drin oder schon draußen? Viel festzustellen ist fürs Erste nicht, ein gewisses Brennen, die Erleichterung, dass es überstanden ist, eine leichte Besserung, wie er um die Mittagszeit zu bemerken glaubt, wenngleich an Essen weiter nicht zu denken ist. Aber er fühlt sich besser. Kurz nach eins kommt Dora, er ist munter und vergnügt und kann sich sogar freuen, dass sein Schwager Karl ohne Vorwarnung in der Tür steht. Ob er zufällig in der Stadt ist oder Elli ihn geschickt hat, ist nicht herauszufinden. Er bestellt tausend gute Wünsche, bringt eine Zeichnung von Gerti, auf der man den Strand von Müritz erkennen kann, im Vordergrund eine Burg, ein Strandkorb mit schwarzem Männchen, dazu ein Pfeil, der mit *Onkel Franz* beschriftet ist.

Auch am nächsten Tag besucht ihn der Schwager, aber diesmal ist die Stimmung gedrückt, denn in der Nacht hat es einen Todesfall gegeben, Dora will es lange nicht glauben, während Karl mehr oder weniger darüber hinweggeht. Ein älterer Mann, ein Bauer aus der Gegend, wie der Doktor vermutet. Gegen drei, halb vier habe er plötzlich keine Luft bekommen; ein Arzt und ein Pfleger seien erschienen, aber man habe gar nichts tun können. Er hat gesehen, wie sie sich im Halbdunkel über das Bett beugten und den Kopf schüttelten und den Gestorbenen schließlich aus dem Zimmer rollten. Sonst gibt es nicht viel zu sagen. Man bespricht die Wirkung der zweiten Injektion, dass das Schlucken nicht mehr gar so wehtut, weshalb er am Abend sogar essen kann, ein paar Löffel Kartoffelbrei, aber immerhin. Karl hat beim Abschied versprochen, die Lage nicht in allzu düsteren Farben zu malen, sonst werden sie in Prag noch verrückt und schicken wieder den Onkel, der im verregneten Venedig sitzt; es ist bereits ein Telegramm an ihn unterwegs, man kann nur hoffen, dass es ihn nicht erreicht. Ist Karl als Gesandter der Familie nicht genug? Statt weiteren Besuch bräuchte er eine Daunensteppdecke, dazu ein Polster, denn anders als im Sanatorium scheint es hier nur das Nötigste zu geben, man fühlt sich wie in einer Fabrik, zumal sich auch die Ärzte nicht sonderlich kümmern und bei ihren Visiten aus Faulheit den Kehlkopfspiegel nicht mitbringen oder Kaugummis empfehlen, die gegen die Schmerzen nicht helfen.

Ist Dora bei ihm, vergisst er noch am ehesten, wo er ist, wenn er die Augen schließt und ihren Berichten lauscht, dass es überall blüht, in den Parks die Bäume, die Forsythien, im Rosengarten die Rosen. In der Regel vergehen die Stunden wie im Flug, aber hin und wieder gibt es ein Stocken, wenn er hustet, wenn seine Stimme weggeht. Das Essen kann er weiter kaum schlucken, nimmt nur wenige Bissen, obwohl er sich regelmäßig zwingt. Erst vorhin hat die Schwester das fast unberührte Tablett abgeholt, und so hat sich Dora ein Herz gefasst und gefragt, ob nicht sie das Kochen übernehmen könne, sie kenne den Doktor etwas besser, seine Vorlieben, was er gut essen kann und was nicht. Die Schwester will es anfangs nicht gestatten, sie muss erst fragen und kommt schon wenig später mit der Erlaubnis, nimmt Dora auch gleich mit, um ihr die Stationsküche zu zeigen. In der Regel machen sie dort nur Tee, aber es ist alles da, Töpfe, Besteck, ein Herd. Sie fragt, was er sich wünscht. Eine Suppe schlägt sie vor, gekochtes Huhn, zum Nachtisch einen Kuchen. Ja, willst du? Dann hast du mich morgen schon um elf. Man kann sehen, wie sie sich freut, auf dem Weg vom Hotel hat sie eine Markthalle entdeckt, dort will sie einkaufen.

Die Gespräche mit seinen Zimmergenossen sind eher spärlich. Man redet über das Fieber, die Ärzte und Schwestern, anstehende Besuche, das Wetter, denn allmählich wird es draußen warm, durch das offene Fenster scheint die Sonne, und wenn es so bleibt, kann man demnächst mit dem Bett auf den Dachgarten, von wo man einen Überblick über halb Wien haben soll. Sein Bettnachbar Josef, ein Schuhmacher mit Schnauzbart, hat eines dieser Röhrchen im Hals, ist aber dauernd auf den Beinen, isst mit großem Appetit das Krankenhausessen und beneidet den Doktor, dass er jeden Tag sein Mädchen hat, denn er selbst hat bislang keinen Besuch erhalten. Zum ersten Mal seit drei Tagen gibt es keine Mentholeinspritzung, was überaus angenehm ist, die Behandlung scheint zu wirken, er kann ein wenig essen, schon Dora zuliebe, die ihm nacheinander Hühnersuppe mit Ei, Huhn mit Gemüse und eine Biskuittorte mit Schlagobers serviert. Die Banane im Kuchen ist nicht völlig nach seinem Geschmack, aber Dora ist glücklich, es gibt keinen Anlass zu Unruhe oder Verzweiflung, ja, man macht sogar Pläne. Das Sanatorium in Grimmenstein ist erneut im Gespräch und ein kleines in Kierling nicht weit von Wien. Dora hat in der Sache telefoniert und Max dazu gebracht, seine Verbindungen spielen zu lassen, sogar Werfel hat sich angeblich verwendet, denn das ständige Sterben kann und will er auf die Dauer nicht ertragen. Erst gestern Nacht hat es einen weiteren Todesfall gegeben, Josef hat es auf einem seiner Spaziergänge aufgeschnappt, dabei geht es ihm selbst nicht gut, er hat hohes Fieber, ist voller Unruhe und kaum dazu zu bewegen, im Bett zu bleiben. Dora will nach Kierling fahren und vor Ort prüfen, ob das dortige Haus infrage kommt. Prof. Hajek, der von einem Umzug strikt abrät, könnte zur Behandlung aus Wien anreisen, es gäbe keine Beschränkung für Besucher, sie könnte immer in seiner Nähe sein, gleich am Nachmittag will sie fahren.

Am nächsten Tag ist die Sache beschlossen. Mit der Bahn ist es nach Kierling ein kleiner Ausflug, man hat Dora überaus freundlich empfangen, das Haus sei nicht eben groß, mehr eine Pension, nur zwölf Zimmer, am Ende der Ortschaft. Hoffmann heißt das Ehepaar, von dem es geführt wird. Die Kosten sind erträglich, aber das Beste ist, dass es Zimmer für Angehörige gibt. Dora wirkt blass, als sie zurück ist, etwas scheint sie dort in Kierling erschrocken zu haben, als würde sie wissen, dass es nach Kierling kein weiteres Sanatorium mehr geben wird. Wieder kommt sie zwei Stunden vor der Besuchszeit, um zu kochen, aber obwohl es heute neuerlich keine Einspritzungen gibt und das Wetter schön ist, fühlt er sich schlecht, er hat Durst, er hat die vergangene Woche zu wenig getrunken und darf es jetzt auf Anweisung nicht nachholen. Dora hat die Ärzte von ihrem Plan schon unterrichtet, auch die Eltern sollen es erfahren, was er wiederum Dora überlässt. Am Samstag gehe es los, schreibt sie, in eine wunderbare Waldgegend. Gegen Abend glaubt er allmählich daran. Abschied ist das falsche Wort. Er fühlt eine gewisse Schwere, die vielleicht nur Trägheit ist, dass er wieder umziehen muss, was ja leider bedeutet, dass man ihn auch hier zu den aufgegebenen Fällen zählt, denn warum sonst haben sich die Ärzte in den vergangenen Tagen kaum blicken lassen.

Abgesehen vom Durst ist sein Zustand erträglich, obwohl er weiter an Kraft verliert. Er spürt es bei jeder Bewegung, am Morgen, wenn er zum Waschen geht, als wäre da eine undichte Stelle, eine Flüssigkeit, die ruhig und stetig aus ihm herausfließt. Und dabei bringt ihm Dora alle möglichen Stärkungen, zum Frühstück fette Milch oder Kakao und später Eierspeisen, dann zu Mittag Huhn oder Kalbskotelett, gebratene, zerdrückte Tomaten, gemischt mit Butter und Ei, Blumenkohl oder junge Erbsen, zum Nachtisch Torte mit Schlagsahne, manchmal Bananen oder einen Apfel, dann zur Teezeit wieder Kakao oder Milch mit Butterflocken und zum Abendessen wieder etwas mit Eiern. Oder ist das viele Essen der Grund für seine Mattigkeit? Selbst in den wenigen Stunden mit Dora hat er Mühe, wach zu bleiben, auch als Felix überraschend für eine Stunde kommt, doch diese Stunde bringt er noch eben zustande. Felix lässt sich nicht anmerken, wie er den Zustand des Doktors findet, freut sich, die Bekanntschaft von Dora zu machen, hat ein freundliches Wort für Josef, bevor er die Grüße aus Prag bestellt, von Max und Oskar, die aus der Ferne an ihn denken. Für Dora ist der Besuch eine willkommene Abwechslung, sie seien bester Dinge, wenn das Wetter es zulasse, könne man in Kürze nach draußen. Sogar das Wort Genesung nimmt sie in den Mund, wie froh sie ist, dass sie von hier bald weg sind. Vor zwei Wochen, denkt er, war die Hoffnung das Sanatorium, eine Woche später hieß sie Wien, und jetzt heißt sie also Kierling. Felix hat wie immer viel Arbeit mit der *Selbstwehr*, die der Doktor weiterhin regelmäßig liest. Die Eltern haben kürzlich die jüngste Ausgabe geschickt, aber er hätte sie gerne direkt, zur Lektüre auf dem Balkon, denn Dora hat gesagt, dass es in Kierling einen Balkon gibt, auf der Südseite, sodass man jetzt schon einige Stunden Sonne haben dürfte, was für den Moment beinahe wie eine Verheißung klingt.

6

NACH KNAPP ZWEI WOCHEN ist von Doras Hoffnungen nicht mehr viel übrig. Nie hätte sie gedacht, dass sie eines Tages so ein Leben führen würde, dennoch führt sie es, nimmt es irgendwie hin, wie eine Schiffbrüchige, die auf eine unwirtliche Insel verschlagen worden ist, so gut es eben geht, und es geht nicht immer. Abends im Hotel ist sie regelmäßig am Ende ihrer Kräfte, erschöpft und zugleich aufgekratzt, denn dauernd gibt es kleine Aufregungen, am Morgen das Telegramm von Robert, der ohne Rücksprache seinen Besuch ankündigt und nur mit drastischen Formulierungen davon abgehalten werden kann. Franz zählt inzwischen jede Stunde, er möchte nur weg, es ist ihr letzter Tag in Wien. Sie hat eine Kleinigkeit im Restaurant gegessen, wo sie von niemandem sonderlich beachtet wird, das Haus ist nicht sehr voll, deshalb haben die Kellner kaum zu tun, dauernd steht einer an ihrem Tisch und erkundigt sich nach ihren Wünschen. Sie hat um Papier und Stift gebeten, denn sie will noch an seine Eltern schreiben, nur sie allein, was sich einigermaßen seltsam anfühlt und das Lügen nicht einfacher macht. Sie berichtet von der bevorstehenden Übersiedlung, alles geschehe mit Einverständnis der Ärzte, was die Tatsachen auf den Kopf stellt, denn in Wahrheit haben sie bis zuletzt abgeraten, aber bitte, Franz ist munter und lebhaft, und vom neuen Sanatorium schickt sie demnächst Prospekte.

Am Abreisetag ist die Stimmung auf dem Tiefpunkt, denn in der Nacht ist Josef gestorben, der noch bis zum Abend fröhlich herumgelaufen ist. Es ist das erste Mal, dass sie Franz weinen sieht, voller Zorn, als lasse sich beim besten Willen nicht begreifen, warum einer wie Josef sterben muss. Hätten die Ärzte nicht besser auf ihn aufpassen können? Dora begreift es vor allem als Warnung; wenn einer auf den Beinen ist und gut isst, heißt das noch lange nicht, dass er leben wird. Wieder werden letzte Nachrichten geschickt, eine Karte an Max, der die Geschichte mit den Mäusen verkauft hat und wissen möchte, an welche Adresse er das Geld schicken soll. Das Wetter ist zum Glück herrlich. Um die Mittagszeit brechen sie auf, nehmen zum Bahnhof einen Wagen und erreichen gerade rechtzeitig den Zug, der ohne Umsteigen bis Klosterneuburg fährt. Felix begleitet sie. Alle sind erleichtert, dass sie die Klinik hinter sich haben, man atmet förmlich auf, schmiedet Pläne für die nächsten Tage, denn die Gegend ist wirklich sehr schön, der blumengeschmückte Balkon, das Zimmer, das voller Sonne ist. Alles ist weiß, die Wände, das Bett, Schrank und Waschtisch, es gibt einen Schreibtisch, der noch irgendwie Platz gefunden hat, deshalb ist es etwas eng, na gut, aber nicht völlig lieblos. Frau Hoffmann, die mit ihrem Mann zur Begrüßung gekommen ist, sagt, dass es ihr eine Ehre sei, es gibt eine kleine Führung, dabei interessiert sich Franz nur für das Zimmer. Es liegt im zweiten Stock zum Garten hin, in dem die ersten Rosen blühen. Drei, vier paar Patienten sitzen auf einer Veranda, weiter hinten scheint ein Bach zu sein, rundherum viel Wald und Weinberge.

Die ersten Tage sind wie Ferien auf dem Land. Sie sitzen auf dem Balkon und genießen die Wärme, Franz ist seit Tagen erstmals im Anzug, er ist voller Tatendrang, und so gehen sie nach dem Frühstück in den Garten, wo zu dieser Stunde nur eine jüngere Frau in der Sonne liegt, eine Baronesse, wie sich später herausstellt, die für ihren großen Appetit berühmt ist. Am hinteren Ende des Grundstücks befindet sich ein schmiedeeisernes Tor, durch das man in ein kleines Tal tritt, das vom Rauschen eines Bachs erfüllt ist, dem Gesang der Vögel, in dieser frühlingsgeschwängerten Luft. Sie wenden sich nach links, folgen eine Weile dem Bach, bis sie nach wenigen Minuten das Dorf erreichen. Obwohl der Weg nicht weit war, machen sie eine Pause auf einer Bank, weiterhin bester Dinge. Es gibt alle möglichen Spaziergänger, Familien mit Kindern im Sonntagsstaat, die in einen der beiden Gasthöfe zum Mittagessen gehen. Franz möchte eine Spazierfahrt machen, ein dicker Kutscher preist seinen Einspänner an und bringt sie für wenig Geld ins nahe gelegene Klosterneuburg, wo die Straßen noch belebter sind. Franz lacht, er ist fröhlich und ausgelassen, wie damals am Strand, er nimmt sie dauernd in den Arm und küsst sie, ihre Hände, Stirn und Nase, als würde er es wiederum nicht fassen, dass sie hier ist und bei ihm bleiben wird. Neben der Mäusegeschichte hat Max auch die über ihre erste Berliner Vermieterin verkauft, sie erscheint gerade heute in einer Prager Zeitung, die sie natürlich nicht haben, aber es ist doch ein Anlass, sich zu freuen und zu erinnern. Berlin liegt eine Ewigkeit zurück, wer weiß, ob sie es je wiedersehen werden, trotzdem reden sie jetzt über Berlin. Gestern Abend hat sie endlich an Judith geschrieben, was ihr nicht leicht gefallen ist, denn sie hat keine Worte für ihr derzeitiges Leben, das nur so an ihr vorbeizieht, in den Stunden, in denen sie nicht bei ihm ist, in ihrem neuen Zimmer, das nur irgendein Zimmer ist, eine provisorische Hülle, die man bei nächster Gelegenheit verlassen wird.

Auch am Ostermontag gehen sie durch das Tal mit dem Bach, aber diesmal nach rechts und weiter Richtung Wald, einen steilen Weg hinauf zu einer Anhöhe, von der man weit über Weinberge und Wälder blickt. Franz ist außer Atem, aber weiter voller Unternehmungslust. Er würde gern zum Heurigen, in der Sonne sitzen bei einem Glas Wein, warum auch nicht; sogar nach Wien könnte man bei Gelegenheit fahren, falls ihnen das Landleben zu langweilig wird. Es ist nur ein kleiner Spaziergang, doch kaum sind sie zurück, müssen sie erkennen, dass sie ihn besser unterlassen hätten. Franz ist völlig erschöpft, ihm ist kalt, weshalb er sofort zu Bett geht und selbst den Abschiedsbesuch von Felix nur so zur Kenntnis nimmt. Sehr viel weiß Dora von diesem Felix nicht. Er arbeitet als Bibliothekar an der Universität. Sie mag seine bedächtige Art, seinen stummen Trost, wie er von seiner Tochter Ruth spricht. Sie haben sich in das Lesezimmer gesetzt. Die meiste Zeit reden sie über Franz, seinen Traum von Palästina, der auch der Traum von Felix ist. Sie begleitet ihn zur Tür, wo er sie zu ihrer Überraschung ungelenk umarmt und sagt, wie ungern er sie verlässt. So allein seien die Tage sicher etwas lang. Aber nein, sagt sie. Wir sind uns gut, wir ertragen einander gut, in Berlin haben wir es lange genug geübt.

Zum Glück sind die Feiertage vorbei. Franz wünscht sich frisches Obst, man kann wieder einkaufen und kochen, und so hat sie wenigstens zu tun, bespricht sich mit der Köchin, einer lustigen Schlesierin, über die Abläufe, damit sie sich nicht gegenseitig behindern, aber es lässt sich ohne Schwierigkeiten regeln. Die Atmosphäre im Haus ist familiär, man grüßt sich auf den Treppen und Fluren, die Mehrheit der Bewohner – vier Männer und zwei Frauen – kennt sie schon. Einmal redet sie länger mit der

Baronesse, die als aussichtsloser Fall gilt, aber nicht für Dr. Hoffmann, der sie ermutigt, so viel wie möglich zu essen. Sie stopfe das Essen förmlich in sich hinein; gibt es Gurkensalat, nimmt sie statt einer vier Portionen, und so hofft sie, die Krankheit zu besiegen. Das alles sagt sie lachend, dass sie verlobt ist, mit einem Juristen, der sie demnächst heiraten will. Franz hat weiterhin Fieber, vor allem abends, er ist deprimiert, weil er nicht nach draußen kann. Aber er hat Appetit, er ist immer so dankbar, wenn sie kommt, welche Arbeit sie sich für ihn macht. Weißt du noch, das vegetarische Restaurant in der Friedrichstraße?

Von Dr. Hoffmann hat sie bislang keinen klaren Eindruck. Er ist ein umgänglicher Mann mittleren Alters, hat aber durchaus feste Meinungen und lehnt zum Beispiel alle unorthodoxen Behandlungsmethoden ab. Das richtet sich gegen Dora, die einen Naturkunde-Arzt aus Wien anreisen lassen möchte, aber nun nicht die Erlaubnis bekommt. Er verstehe sehr gut, dass man in der gegebenen Situation jedes Mittel versuche, aber die Verantwortung für seine Patienten trage nun einmal er. Franz scheint beinahe erleichtert, denn jeder Arzt kostet eine Unsumme Geld, das Sanatorium kostet, Doras Zimmer, jeder Einkauf. Den halben Tag ist er verdrießlich und beklagt sich, dass er nichts zu lesen hat, weil die Eltern keine Zeitungen schicken. Am Abend telefoniert sie mit der Mutter, und natürlich sind die Sachen längst unterwegs, auch das erbetene Federbett. Vorstellen kann sich die Mutter das Leben in diesem Kierling trotz der Prospekte nicht, ich hoffe, ihr habt auch Zeit für euch, nach all den Aufregungen habt ihr das sicher nötig. Dora ist richtig gerührt, ihr gefällt das *Ihr*, dass man in Prag begreift, dass sie zu Franz gehört, selbst hier im Sanatorium, dass es trotz allem eine Art Leben ist.

Judith hat zwei große Pakete aus Berlin geschickt, Wäsche und Kleider, um die sie Dora gebeten hat, nun, da keine Rede mehr davon ist, dass sie zurück nach Berlin geht. Dora hat die Sachen vor Wochen gepackt, sie ist überrascht, was sie alles findet, zwei Kleider für die Übergangszeit, ihr Kostüm, ein paar Bücher, Schmuck. Sie zieht sich gleich um, für Franz das bunte Kleid, selbst wenn er es nicht bemerken sollte, doch er bemerkt es auf der Stelle, weiß auch, wann sie es getragen hat, in den ersten Berliner Tagen, er sagt: im Botanischen Garten. Das Kleid hat sie kurz vor Müritz gekauft. Sie mag den plissierten Kragen, die Blumen, die womöglich etwas zu mädchenhaft sind, aber genau das mag er. Sie muss eine Weile vor dem Bett auf und ab gehen, langsam im Kreis soll sie sich drehen, als würde sie tanzen. Sie hat nie mit ihm getanzt, weiß auch gar nicht, ob er das kann, früher, als Student, glaubt sie, aber er schüttelt lachend den Kopf, nein, nie, doch wenn sie will, wird er es lernen. Einen Abend lang ist es fast wie früher. Sie essen zusammen Omelett, beginnen noch einmal zu träumen, von einem Sommer in Müritz, was sie anders machen würden. Nicht sehr viel, wie sich herausstellt, denn im Grunde war ihnen das meiste recht. Dora würde natürlich nicht arbeiten, sie hätten ein gemeinsames Zimmer, näher am Strand, denn der Weg zum Strand war doch etwas weit, allerdings mochte Franz seine Pension sehr gern. Weißt du noch das Zimmer? Den schrecklichen Regen weiß sie noch, wie nass sie war, jede klitzekleine Bewegung. Wie er zu ihr hingegangen ist. Das alles weiß sie. Die Küsse. Wie aufgeregt sie war. So lange ist das her. Aber das Gefühl ist weiter da, die Echos, die es macht, die Angst, die von Anfang da gewesen ist, etwas Lauerndes, über das sie so gut es ging hinwegsah.

7

Mit dem Schreiben scheint es endgültig vorbei zu sein. Inzwischen schafft er kaum die Korrespondenz, geschweige denn etwas für sich. Aber das Erstaunliche ist, es beschäftigt ihn gar nicht groß. Er denkt an die kommende Nacht, von Stunde zu Stunde die Verrichtungen, die bevorstehende Visite, eine Behandlung, die nächste Mahlzeit. Er überlegt, ob er heute aufstehen kann, schaut am Morgen nach dem Wetter, ob er auf den Balkon kann, wartet auf Dora, ohne die er längst zugrunde gegangen wäre, denkt an den bevorstehenden Besuch des Lungenarztes, der für morgen bestellt ist und vor dem er sich ziemlich fürchtet. Davon abgesehen fühlt er sich erstaunlich wohl. Er muss von hier nicht weg, jedenfalls so lange das Geld reicht, sie können zusammen auf dem Balkon sitzen und sich erinnern. Weiter als Berlin kommt er in der Regel nicht. Seine Hoffnungen sind nicht eben üppig, aber man kann von einer weiteren Ausfahrt träumen oder sich über die kleinen Nachrichten freuen, die Dora bringt, Grüße aus Prag oder Berlin, denn auch aus Berlin werden Grüße bestellt, von Judith, der er die Freude mit Doras Kleidern verdankt. Dora schreibt und telefoniert, und manchmal wundert er sich über ihre Kraft, zumal er leider weiß Gott kein guter Gesellschafter ist, denn immer öfter kann er vor Heiserkeit nicht sprechen, wird zu den unmöglichsten Zeiten müde und isst zu ihrer Enttäuschung viel weniger als nötig wäre.

Von der Kapazität aus Wien erzählt man, dass er schon einmal einen Patienten hätte behandeln sollen, aber dann, weil er drei Millionen verlangte, den Weg in letzter Minute nicht gemacht hat, im vergangenen Herbst, als auch hier die Preise in schwindelerregende Höhen stiegen. Den ganzen Vormittag warten sie auf ihn, und als er endlich erscheint, dauert die Sache keine halbe Stunde. Für die Kapazität ist er nur irgendein Schwindsüchtiger, ein Fall unter Abertausenden, aber da er nun einmal hier ist, macht er eine kurze Kehlkopfspiegelung, tastet ein bisschen herum und reist schließlich unter Hinterlassung einer Note zurück nach Wien. Dora ist wegen der Summe kurz erbleicht, obwohl sie weiter nichts sagt und dann eine Weile aus dem Zimmer geht. Man sieht ihr an, wie sehr sie der Besuch beschäftigt. Der Professor hat es nicht ausdrücklich gesagt, aber er ist ein hoffnungsloser Fall, wie jeder hier im Haus, und so weiß er sich wenigstens in guter Gesellschaft, während Dora so tut, als wäre es bloß ein dummer Besuch gewesen. Aber sie braucht Hilfe. Hätte er das nicht viel früher bemerken können? Einmal macht sie eine Andeutung, scheint darüber mit Robert gesprochen zu haben, denn plötzlich redet sie dauernd von Robert, dass es doch schön wäre, wenn er jemanden hätte, mit dem er plaudern könne, in den Zeiten, in denen sie in der Küche ist oder ins Dorf zum Einkaufen muss. Außerdem hat er wie Franz Tuberkulose, zum Glück im Anfangsstadium, doch er weiß Bescheid, auch darin wäre er unbedingt eine Hilfe. Gut, sagt der Doktor, obwohl er sich gegen Robert seit Langem sträubt, etwas hat ihn an ihm von Anfang an gestört, seine fordernde Art, seine Bereitschaft, sich zu unterwerfen.

Vorläufig kommt er nur zu Besuch. Dora holt ihn vom Bahnhof ab, während der Doktor im Schatten auf dem

Balkon liegt, halb nackt, mit einer Zeitung von vorgestern, die in der Post aus Prag gewesen ist. Drei Jahre ist es her, dass sie sich im Sanatorium kennengelernt haben. Der Krieg war längst vorbei, trotzdem redeten sie viel über den Krieg, denn Robert war an der Ostfront und dann in Italien, ein paar Jahre, in denen er sich die Krankheit holte. Wann immer sie sich trafen, wirkte er frisch und jugendlich, ein wenig weich, vor allem im Gesicht, in dem ein Hauch Bitterkeit war, weil er wegen der Krankheit sein Medizinstudium aufgeben musste. Wie nicht anders erwartet, hat er sich nicht sehr verändert. Er kommt in Anzug und Weste, die Haare wie immer zur Seite gescheitelt, ein gut aussehender Mann Mitte zwanzig. Offenbar haben er und Dora schon gesprochen, deshalb gibt es kaum Fragen. Aber er ist bereit, zu helfen, sagt, dass er sich freut, als habe er auf eine Gelegenheit wie diese gewartet. Für Dora ist seine Anwesenheit eine Wohltat. Sie zeigt ihm die Aussicht vom Balkon, das Zimmer, wo sie eine Weile stehen und reden, sogar den Speisesaal haben sie besichtigt, die Küche, in der sie kocht, ihr kleines Reich. Ein paar Tage will er bleiben, hier im Haus, wo zum Glück noch Zimmer frei sind, und so sind doch alle zufrieden, so mühsam der Alltag weiterhin ist, mehr und mehr das Sprechen, aber auch das Lesen, denn vor Tagen ist der neue Werfel eingetroffen, und so liest er hin und wieder, unendlich langsam, regelmäßig einige Seiten.

Es kehrt eine neue Ruhe ein, mehr in ihm selbst, hat er den Eindruck, denn äußerlich gibt es durchaus Betrieb, er bekommt Wickel und muss inhalieren, was wegen des Fiebers derzeit die einzige Behandlung ist. Gegen die von Dr. Hoffmann vorgeschlagenen Arseninjektionen wehrt er sich, und tatsächlich scheint das Fieber seit gestern zurückzugehen. Jetzt, am Morgen, hat er zum Beispiel nur erhöhte Temperatur, der Hals ist unverändert, die Heiserkeit, die gelegentlich beim Sprechen hindert. Vor allem freut er sich für Dora. Sie ist wie verwandelt, seit Robert da ist. Manchmal wechseln sie sich ab, dann wieder sitzen sie zu dritt, man plaudert über den neusten Klatsch aus Prag, von wo soeben Post gekommen ist, die zu beantworten neuerlich Dora übernimmt. Die Eltern haben ausdrücklich darum gebeten, und jetzt ist sie sehr stolz und fragt in aller Vorsicht nach dem Federbett, sie habe bereits überlegt, in Wien eins zu kaufen, aber dann würde er sie hinauswerfen. Der Doktor lacht, als er das liest, er mag, wie sie schreibt, ihre wunderlichen Formulierungen, dass er schon brummen werde, weil sie so wenig Platz zum Schreiben gelassen habe, dabei ist es ihm nur recht. Er mag ihre Schrift, von der sie weiter behauptet, sie werde der seinen immer ähnlicher, er mag ihren Ernst, wie sie sich bedankt, dass sie das Amt des Schreibens übernehmen darf. Es ist manchmal wie früher im Büro, fast täglich gibt es Briefe zu beantworten, auf dem Tisch stapeln sich die Umschläge. Sie beugt sich tief über das Papier, wenn sie schreibt, irgendwie gebückt, wie unter einer Last, die man gerne trägt, als wäre das Schreiben eine heilige Handlung.

Abends im Bett fragt er sich, was aus ihr wird. Wenn er nicht mehr da ist, in welche Richtung sie sich dann bewegen wird. Es ist traurig und seltsam, so an sie zu denken, allein, ohne ihn, obwohl sie die ganzen ersten Jahre in Berlin ohne ihn gewesen ist und sich nie darüber beklagt hat. Mit geschlossenen Augen meint er zu wissen, dass sie nicht verloren gehen wird, denn sie ist zart und zugleich robust, so jedenfalls hat er sie kennengelernt. Er hätte sie heiraten können, ja, er könnte es noch immer. Warum eigentlich heiratet er sie nicht? Der Gedanke kommt etwas spät, wie er zugeben muss, mit einem Gefühl der Leichtigkeit, jetzt, da er kaum begreift, warum er sie nicht bereits in Berlin gefragt hat. An ihre Antwort denkt er gar nicht. Er denkt an F., warum sie von Anfang die falsche Frau gewesen ist, aus der Ferne an M., ohne großen Schmerz, als wäre M. die folgerichtige Antwort auf den Irrtum der Verlobung gewesen. Bis zum Abend bleibt er in gehobener Stimmung. Auf seinem Nachttisch liegt ein Belegexemplar der Prager Presse, in der seine Josefine erschienen ist, auch das ist ein Grund zur Freude, dazu Dora im neuen Kleid, ja sogar das Essen ist ihm willkommen, er kann sich nicht erinnern, wann er zuletzt mit so gutem Appetit gegessen hat.

Die halbe Nacht denkt er darüber nach, weniger über das Ob als das Wie, denn er möchte keinen Fehler machen; es gibt Regeln, an die er sich zu halten gedenkt, dazu die üblichen Bedenken wegen der Eltern, wenngleich ihn seine Eltern gerade nicht kümmern. Er darf es nicht aus schlechtem Gewissen tun, denn oft hat er ein schlechtes Gewissen, dass er sie in dieses Leben geführt hat, damals, in Müritz, als er das meiste schon hätte sehen müssen. Vor allem aus Dankbarkeit darf er sie nicht heiraten. Seine Dankbarkeit ist ohne Zweifel, aber sie allein wäre kein guter Grund, der Segen ihres Vaters scheint ihm plötzlich wichtig, denn vielleicht geht es ja auch um einen Neuanfang als Jude. Am nächsten Morgen macht er ihr den Antrag. Viel sagen muss er nicht, sie sagt sofort ja, sie hat soeben das Frühstück gebracht, und nun das. Aber warum?, fragt sie, als wäre es ihr im Traum nicht eingefallen. Muss man Gründe haben, um zu heiraten? Es soll nicht umsonst gewesen sein, dass du jung gewesen bist für mich, deine Küsse, das Stammeln, all die Nächte, die Geständnisse. Aber nein, sagt sie, und dann noch einmal: ja, wenngleich sie sich nicht vorstellen kann, dass der Vater sein Einverständnis gibt. Vielleicht träume ich ja, sagt sie. Hast du mich wirklich gefragt? Aber der Vater; leider kennt er ihren Vater nicht. Vor Wochen habe ich zwischendurch gedacht, ich schreibe ihm von uns, was uns geschehen ist, wie wir leben. Nach den ersten Sätzen habe ich nicht weitergewusst. Aber warum umsonst? Liebster, sagt sie, eben in dem Moment, als Robert klopft. Sie hat Mühe, sich zu fassen, der Doktor ist ihr hundertmal durchs Haar gefahren, deshalb sieht sie ziemlich verstrubbelt aus. Zum Glück hat Robert nichts bemerkt, allerdings scheint er zu stutzen, ob es gute Neuigkeiten gebe, und dann verrät Dora, worin die guten Neuigkeiten bestehen.

Für den Brief braucht er bis zum nächsten Vormittag. Er wird nicht sehr lang, an die zwei Seiten, auf denen er sich vorstellt, Alter, Beruf, seine Jahre in der Anstalt, dass er seit über einem Jahr pensioniert ist, dann etwas über die Familie, Eltern, Geschwister, sein Verhältnis zum Judentum. Er versucht erst gar nicht zu verhehlen, dass die Bindungen nicht sehr stark sind, allerdings habe er durch die Begegnung mit Dora manches gelernt. Er erwähnt die Besuche in der Hochschule, vielleicht ein wenig zu unterwürfig, warum er sich auf dem richtigen Weg glaubt. Von der Krankheit spricht er nur am Rande, dass er sich derzeit zur Behandlung in einem Sanatorium bei Wien befinde. Dora sei bei ihm, sie sei über alles unterrichtet, und so bitte er um ihre Hand, im festen Glauben, ihr ein guter Ehemann zu sein. Da er nicht mal ein Foto von Doras Vater kennt, ist es schwierig, die richtigen Formulierungen zu finden, man weiß nicht recht, an wen man sich wendet, aber Dora ist mit allem einverstanden, für sie zählt allein, dass er sie gefragt hat. Sie ist noch nie auf einer Hochzeit gewesen, sagt sie, die erste Hochzeit, auf der sie sein wird, ist ihre eigene, im Mai, hofft sie, wenn sie nach draußen können, nach unten in den Garten. Ottla natürlich müsste dabei sein, Elli, die Kinder, die Eltern, wenn ihnen der Weg nicht zu weit ist, dazu Judith und Max, vielleicht auch nur Max und Ottla. So ungefähr könnte es sein. Ja? Der Brief ist noch nicht auf der Post, sie wird ihn nachher wegbringen, der Umschlag ist beschriftet, und dann müssen sie eben warten.

8

Seit er sie gefragt hat, fühlt sich Dora wie ausgewechselt. Sie meint, ganz neue Kräfte in sich zu spüren, sie darf nicht nachlassen, um ihn zu kämpfen und sich darum zu kümmern, dass er endlich in die richtigen Hände kommt. Sie brauchen einen kompetenten Arzt, jemand, der ihn nicht zu den Verlorenen zählt, sondern sich etwas einfallen lässt. Am Telefon hat ihr Max gesagt, an wen sie sich wenden kann, und so fährt sie Anfang Mai unter einem Vorwand nach Wien in die Klinik und bucht einen weiteren Arzt, mit Termin für den Nachmittag. Auf dem Rückweg im Zug schreibt sie an Elli. Sie gibt offen zu, was sie getan hat, Franz dürfe niemals davon erfahren, vor allem was sie jetzt bittet, denn sie braucht dringend Geld, nur dieses eine Mal, wenn der Arzt Franz untersucht habe, werde er gewiss alles Notwendige veranlassen. Professor Neumann. Selbst herauskommen kann er leider nicht, stattdessen schickt er einen Dr. Beck, der auf die Minute pünktlich erscheint, ein bulliger Mann, der sich viel Zeit nimmt und eine komplizierte Alkoholinjektion gegen die Schmerzen unternimmt. Aber viel mehr ist nicht möglich. Der Kehlkopf und ein Teil des Kehldeckels sind weitgehend zerfallen, und eine Abtötung des Nervs will leider nicht gelingen. Das klingt nicht gut, aber was bedeutet es? Dora führt Dr. Beck in das Lesezimmer, wo gerade niemand ist, dort sagt er ihr die Wahrheit. Drei Monate noch, sagt Dr. Beck. Er rät zu einer Überführung nach Prag, was sie sofort ablehnt, denn bringt sie Franz nach Prag, weiß er sofort, dass er verloren ist. Diese Entscheidung überlasse er selbstverständlich ihr, sagt Dr. Beck. Offenbar hält er sie für seine Frau, weshalb sie ihn beinahe korrigiert und verzweifelt darüber nachdenkt, was genau er gesagt hat. Sind die drei Monate das Minimum oder Maximum? Sie bringt Dr. Beck zur Tür, wünscht ihm eine gute Rückreise nach Wien, sieht ihm lange nach, wie betäubt, gegen den Türstock gelehnt, bis sie allmählich zu begreifen beginnt.

Robert scheint seit Langem damit gerechnet zu haben. Er versucht sie am Telefon zu trösten, rät ihr zu einem kleinen Spaziergang, denn in diesem Zustand kann sie sich Franz nicht zeigen. Das Gehen tut ihr gut, sie hat nicht gewusst, wie weit man in einer Stunde gehen kann, bis weit in die Weinberge hinauf, wo sie eine Weile am Rande einer Wiese sitzt und über das Leben nachdenkt, die verbleibende Zeit mit Franz, wütend und verzweifelt, dann wieder erstaunlich ruhig, auf eine trotzige Art bereit, sich zu fügen. Alles ist entsetzlich, aber es breitet sich doch eine gewisse Ruhe in ihr aus. Sie weint und betet, den ganzen Rückweg, auf dem sie mehrmals fast stürzt, und dann noch einmal bis zum Morgen, an dem sie Franz wie üblich das Frühstück bringt. Franz wird von ihr nicht erfahren, wie es um ihn steht. Sie werden sich trauen lassen und hier zusammen leben. Hat sie nicht von Anfang an gewusst, dass sie für jeden Tag dankbar sein muss? Die gestrige Injektion hat ein wenig geholfen, trotzdem wirkt Franz bedrückt, als hätte er eine Ahnung, und so gibt es verschiedene Rückschläge, abends in ihrem Zimmer, wenn sie wieder hofft, wenn sie an die Baronesse denkt, wenn sie nicht wahrhaben will, dass das Beispiel der Baronesse für Franz nicht gilt. Sie hat mit Robert telefoniert und ohne großes Bitten erreicht, dass er die Tage zurückkehrt und ihr bei der Pflege hilft. Auch mit Max hat sie telefoniert, ihm offen gesagt, dass es keine Rettung mehr gibt, was sie der Mutter und Elli so bisher verschwiegen hat, auch weil sie nie richtig fragen, aus alter Gewohnheit, als wäre die Krankheit ein niemals endendes Auf und Ab. Franz hat den Besuch des Arztes einfach hingenommen, er hat nicht gefragt, woher und warum, sogar das leidige Geld ist kein Thema gewesen. Er ist sehr schwach, aber er lächelt, wenn sie kommt, er hat Schmerzen, man kann es bei jedem Bissen sehen, dabei gibt er sich alle Mühe, es vor ihr zu verbergen. Am Abend trinkt er Wein, fragt nach der Post, wann mit Robert zu rechnen ist, was Max am Telefon gesagt hat, der sie demnächst besuchen will, nun gut, wenn es Max ist, denn sonst möchte er niemanden bei sich haben.

Jetzt wartet sie auf Robert. Vielleicht kann dieser Robert ja etwas erreichen, oder Franz selbst, denn im Grunde kommt die Rettung immer aus einem selbst. Seit dem Besuch von Dr. Beck ist die Lage unverändert. Dank der Injektionen kann er schlafen, aber vielleicht, so fürchtet sie, sind die Injektionen ja schlecht und rauben den Selbstheilungskräften die letzten Möglichkeiten. Sie weiß es nicht. Mal ist ihr einziger Wunsch, dass er nicht leidet, mal tröstet sie sich mit Beschwörungen, dass Franz leben muss, dass ein Wunder weiterhin nicht ausgeschlossen ist. Vorhin am Telefon hat sie Elli versprochen, täglich zu schreiben, aber die Wahrheit ist, sie schafft die Telefonate kaum, sie fühlt sich leer und stumpf, bittet um Verständnis. Bitte, ich werde nicht jeden Tag schreiben, verteidigt sie sich brieflich, ich halte es nicht aus, habt Erbarmen mit mir. Gestern hatten sie ein paar glückliche Stunden. Franz wollte neuerlich Wein, den er mit der ihm eigenen neugierigen Freude und ohne Schmerzen getrunken hat. Ausgerechnet

Elli schreibt sie davon. In Müritz, als sie dachte, Elli wäre seine Frau, hatte sie keinen allzu günstigen Eindruck von ihr, aber jetzt betrachtet sie sie fast als Vertraute, seit dem Hilferuf aus Wien, auf den sofort Antwort kam, mit lauter warmen, herzlichen Formulierungen.

Am liebsten schreibt sie bei ihm im Zimmer, ein paar Zeilen an die Eltern, während er im Bett liegt. Es ist der erste Brief seit dem Besuch des Arztes, aber sie erwähnt nur das anhaltend kalte Wetter, die gute Luft, die Verpflegung, die sie gelegentlich selbst übernimmt. Das Federbett nebst Überzügen und Rosshaarpölster haben sie erhalten, das Kissen leider nicht, wahrscheinlich liegt es auf dem Postamt in Wien, wenn sie demnächst in Wien ist, wird sie sich erkundigen. Sie grüßt ausdrücklich den Vater, weniger, weil Franz darum gebeten hat, sondern weil sie viel an ihren eigenen Vater denkt, der bis heute nicht geantwortet hat. Vielleicht ist seine Antwort ja schon unterwegs, aber welche Antwort wird das am Ende sein, da er nur auf seinen Wunderrabbi hört. Auch Franz hat vor Jahren die Bekanntschaft eines Wunderrabbis gemacht, und so, wie er es erzählt, klingt es fast komisch, ein wilder bärtiger Mann im Seidenkaftan, darunter die Unterhosen sichtbar. Allein die Vorstellung bringt sie beide zum Lachen. Franz scheint weiter guter Hoffnung zu sein, er wünscht sich das grüne Kleid, für den Fall dass, und dann hält sie es eine Zeit für möglich, wider besseres Wissen, so wie fast alle Träume wider besseres Wissen sind.

Mit der Ankunft von Robert schöpft sie neue Kraft, als bekäme sie besser Luft, denn seit Wochen ist sie die meiste Zeit gerannt. Sie kümmert sich um die Post, die Telefonate, in denen sie weder lügen noch die Wahrheit sagen darf, die Einkäufe, das Essen, alle paar Stunden eine Mahlzeit, etwas, das sie für ihn holt und dann wieder nach unten in die Küche bringen muss. In den letzten Tagen ist Franz nur selten aus dem Bett gekommen, deshalb hat sie es übernommen, ihn zu waschen, was ebenso schön wie schrecklich ist, denn überall sind nur Knochen, die fiebrige Haut, die sie vorsichtig mit Küssen bedeckt, mit der ungenauen Empfindung, etwas Verbotenes zu tun, als hätte sie ihn nie so sehen dürfen. Er hat aufs Neue zu flüstern begonnen, manchmal kann man kaum verstehen, was er sagt, dass er schlecht liegt oder zu trinken will, wie müde er ist, ach so müde. Sei nicht böse, sagt er, und darauf sie: Ich dir böse? Wie könnte ich dir böse sein. Nach langer Zeit hat Ottla geschrieben, der sie sofort geantwortet hat. Liebe, schöne Ottla, hat sie geschrieben, dabei kann sie gar nicht richtig denken, sie fühlt sich taub und stumm und ist nur froh, dass Robert ihr das eine oder andere abnimmt.

Gestern Abend im Lesezimmer haben sie sich erzählt, wie sie Franz kennengelernt haben. Sie redeten lange über seine Familie, das Geld, um das sie Ottla gebeten hat und das hoffentlich bald eintrifft. Robert ist nur ein paar Tage weg gewesen, aber man merkt, dass er an die drei Monate nicht glaubt, da es Franz täglich schlechter geht. Er schlägt ihr vor, die Korrespondenz an die Familie zu übernehmen, damit sie mehr Zeit für ihn hat, für sich, damit sie zwischendurch etwas Ruhe hat. Dass er selbst krank ist, merkt man Robert kaum an, er ist blass, eher schlank, aber längst nicht so schlank wie Franz in Müritz gewesen ist. Wenn sie über Müritz spricht, wird ihr immer noch leicht ums Herz, doch mitunter meint sie zu bemerken, wie sich die Bilder verändern, sie sind weniger bewegt, rücken in die Ferne, ohne rechte Verbindung zu dem, was hier und heute ist. Als würden die ersten Wochen mit ihm erstarren, wie ein Ding, das man in der

Hand hält, weil es einem einst unendlich viel bedeutet hat, eine Vase, ein bunter Stein, eine Muschel, die nicht mal ansatzweise überliefert, wie es gewesen ist. Am Nachmittag sitzt sie lange bei ihm auf dem Balkon, wo er in der Sonne liegt und schläft. In der Regel wacht er auf, wenn sie in der Nähe ist, aber diesmal nicht, er schläft tief und fest, mit geschlossenem Mund, wie ein König, muss sie denken, jemand, dessen Gedanken nicht leicht zu erraten sind, als wäre er ihnen allen schon sehr fern, mit allen möglichen Überlegungen beschäftigt, wie früher, wenn er am Schreibtisch saß.

Franz hat seit Tagen kaum gesprochen. Doktor Hoffmann hat eine Schweigekur verordnet, an die er sich meistens hält. Er redet mit kleinen Zetteln, auf denen er Fragen oder Gedanken notiert, anfangs mit einem gewissen Widerwillen, als nehme er die Sache nicht sehr ernst, als wäre es nur ein vorübergehender Spaß, den er als ehemaliger Beamter nur zu gut versteht, und tatsächlich tut er die ersten Male, als zeichne er Akten ab, oder als handele es sich um wichtige Dokumente. Dora muss sich erst daran gewöhnen, aber nach einer Weile findet sie es schön, sie hat seine Schrift, die Gespräche werden nicht unbedingt bedeutsamer, aber vielleicht genauer, zugleich stellt sich heraus, dass es auch ohne Worte geht; man kann sich an der Hand fassen, man hat Augen, man kann nicken, die Stirn runzeln, und hat die meiste Zeit die Empfindung, in Verbindung zu sein. Leider isst er nicht mehr. Er gibt sich alle erdenkliche Mühe, aber er kann nicht, nicht wegen des Halses, der fast ohne Schmerzen ist, sondern weil er den Appetit verloren hat. Dora versucht ihn zu überreden, sie beschwört ihn, aber immer öfter schüttelt er den Kopf, fühlt sich zu Unrecht gelobt und dann wieder zu Unrecht getadelt, nennt es eine unnütze Mühe, verliert den Glauben. Wie ich euch plage, das ist ganz verrückt, schreibt er. Und ein andermal: Wie viele Jahre wirst Du es aushalten? Wie lange werde ich es aushalten, dass Du es aushältst? Und dann nimmt sie nur wahr, dass er in Jahren denkt und die drei Monate von Doktor Beck nicht glaubt, der womöglich nicht erkannt hat, wie groß die Kräfte sind. Ein inneres Feuer, stellt sie sich vor, etwas, das sich erneuert, vielleicht nicht nur aus sich selbst, aber zum größten Teil, weil er liebt und wiedergeliebt wird, aus seiner großen Zuneigung zu allem und jedem.

9

Seit Robert im Sanatorium ist, wirkt Dora ruhiger. Sie ist nicht mehr so gehetzt, liest gelegentlich ein Buch, näht oder sitzt am Tisch und erzählt Schnurren von anderen Patienten, die zu allen Tageszeiten in einem der Gemeinschaftsräume anzutreffen sind, die berühmte Baronesse, an der er sich ein Beispiel nimmt. Was nichts daran ändert, dass ihm das Essen immer öfter widersteht, allein der Geruch, wenn Dora ins Zimmer tritt, und er weiß, jetzt muss er sich ihr zuliebe zwingen. An den Verkehr mit den Zetteln hat er sich leidlich gewöhnt. Es gibt einen gewissen Zwang zur Sparsamkeit, der ihm nicht fremd ist, aber manches bleibt doch ungesagt, in den Nächten die Angst, die Enttäuschung, dass noch keine Post von Doras Vater da ist. Vielleicht, so denkt er, hat der Rabbi die Heirat überraschend befürwortet, und der Vater möchte dem Rat nicht folgen, oder umgekehrt, der Rabbi ist dagegen, und der Vater, aus Anhänglichkeit gegenüber der Tochter, sucht nach einem Ausweg. Vom Verlag müssten täglich die Korrekturfahnen für den neuen Erzählband eintreffen, allein deshalb verspürt er eine gewisse Unruhe. Aber solange man wartet, denkt er, ist die Hoffnung nicht zuschanden. Wenn er nur ein bisschen zu Kräften käme und das Essen nicht so mühsam wäre, könnte er sich schon einiges denken, ein Leben auf dem Land, in der Nähe von Ottla, falls man das einen Gedanken nennen darf, denn seit Wochen besteht sein Denken überwiegend aus Wiederholungen. Auch die Arztbesuche wiederholen sich. Aus Wien ist Prof. Hajek gekommen und hat vergeblich eine Alkoholinjektion gegen die Entzündung des Kehlkopfs versucht, ein Dr. Glas hat sich angesagt, es gibt neue Medikamente und neue Ratschläge, alle zwei Tage ein Bad wird ihm verordnet, was im ersten Moment ganz und gar unmöglich scheint, aber mit Hilfe Doras wird es schließlich möglich.

Am nächsten Tag ist Ottla zu Besuch. Sie hat seit Langem gedrängt, man hat mehrfach telefoniert, auch sein Schwager Karl wollte unbedingt kommen, gegen Mittag sind sie da. Es ist ein wenig traurig, unter diesen Umständen, aber alle geben sich Mühe, denn wer weiß, wann man sich das nächste Mal trifft, außerdem fühlt man sich bei dem herrlichen Sonnenschein doch einigermaßen beschwingt. Reden soll er weiterhin nicht, und so hat er jede Menge Arbeit mit den Zetteln. Man erzählt sich Geschichten aus den Prager Zeiten, die komischen Zimmer, die er gehabt hat, wie der Vater damals, vor Jahren, auf die Käfergeschichte reagiert hat, dieses schreckliche Insekt oder was immer es gewesen ist, ein paar Episoden aus Zürau. Gegen zwei gehen Karl und Dora essen. Nur Ottla kann sich nicht entschließen, sie steht in der Tür, seltsam bewegt, endlich bleibt sie. Sie habe sehr viel an ihn gedacht, sagt sie, wie froh sie ist, dass er Dora hat. Man merkt, dass sie noch etwas anderes sagen will, aber das ist schwer, sie nimmt mehrmals Anlauf, dabei weiß er es auch so. Ist Ottla nicht immer eine Art Spiegel für ihn gewesen? Sie möchte wissen, wie es ihm wirklich geht. Du musst nicht lustig sein wegen mir, sagt sie, worauf er sich umständlich bei ihr bedankt, für die Monate in Zürau, für alles, was sie für ihn getan hat. Alle fürchten sich, sagt er flüsternd. Aber da er sich selbst am meisten fürchte, sei es gewiss verständlich.

Sie nickt, sie fürchtet sich wie die anderen, flüstert sie, und nun ist ihm doch beinahe unbehaglich mit ihr. Sie sieht ihm zu, wie er sich mit dem Essen abmüht, seine stümperhaften Versuche mit Doras Suppe. Dann ist nicht mehr viel. So schnell sie gekommen sind, so schnell sind sie wieder weg. Karl nickt nur kurz, als er sich verabschiedet, während Ottla sich immer noch nicht losreißen kann. Hand in Hand mit Dora steht sie da, und das ist vielleicht das Schönste, denkt er, dass sie so zusammenstehen, wie Schwestern.

Sein Verhältnis zu Robert hat sich schnell entspannt. Früher, wenn ein Brief kam, fühlte er sich oft bedrängt, die Sätze hatten etwas Forderndes, als wäre das, was er Robert gab, nie genug, ja, als hätte Robert ein weitergehendes Recht auf ihn, wie ein Geliebter, was ein durchaus unangenehmer Gedanke war. Aber das ist vorbei. Robert gibt nicht den geringsten Anlass, unzufrieden mit ihm zu sein, im Gegenteil, er kümmert sich aufopferungsvoll, ist in der Nähe, wenn man ihn braucht, in den Nächten, wenn Dora schläft, dann steht er manchmal in der Tür oder neben dem Bett, mit einem frischen Wickel, einer Medizin, einem guten Wort. Sogar waschen lässt er sich von Robert, was Dora zwar nicht recht ist, aber inzwischen ist es doch sehr beschwerlich, man muss ihn heben und wenden, und dafür fehlt ihr doch die Kraft. Oft wäscht sie ihm das Gesicht, mit einem feuchten Lappen, sodass er von Zeit zu Zeit ihren Geruch hat, während Robert die peinlichen Szenen wie nebenbei erledigt. Er ist froh, dass Ottla gestern alleine gekommen ist, denn auch der Onkel hat sich für heute angesagt. Er ist wie immer auf eine hemdsärmelige Art laut, redet sehr lange und weitschweifig über das Reisen, das wunderschöne Venedig, das er allen Beteiligten als Stadt nur wärmstens empfehlen könne, sitzt kaum eine Minute still. Zu Robert sagt er: Sind Sie nicht so etwas wie ein Kollege? Als einfacher Landarzt könne er die Verhältnisse hier im Haus natürlich nicht bis ins Letzte beurteilen, aber auf den ersten Blick scheine doch alles bestens, das Zimmer, die Aussicht, dazu die wunderbare Dora, die er ja schon kenne, damals in Berlin, als ich euch leider sagen musste, dass es mit Berlin ein Ende haben muss. Er erkundigt sich nach den Ärzten, lässt sich in allen Einzelheiten erklären, wer wann welche Diagnose gestellt hat, wobei es für ihn keinen Unterschied macht, ob jemand Doktor oder Professor ist. Nach zwei Stunden schickt er sich an zu gehen, nur weil Robert eine Andeutung gemacht hat, dass es allmählich Zeit ist. Der Onkel gibt dem Doktor die Hand, umarmt Dora, sagt, dass sie auf sich aufpassen sollen. Mensch Junge, sagt er, Kinder, und ist aus dem Zimmer.

Dora hat Ottla im letzten Moment gesagt, dass sie heiraten wollen. Sie erzählt nicht zum ersten Mal, wie sich Ottla gefreut hat, sie strahlt, du kannst dir gar nicht vorstellen, wie sehr. Auch den Brief hat sie erwähnt, dass sie seit Ewigkeiten auf Antwort warten, und wie es der Zufall so will, kaum haben sie darüber gesprochen, ist die Antwort da. Dora meint zu wissen, dass sie bestimmt nicht günstig ist, und tatsächlich ist der Brief eine klare Absage. Der Herr Doktor habe die Gründe ja selbst genannt, er komme aus einer Familie mit schwachen religiösen Bindungen, habe nach eigenem Bekunden gerade damit begonnen, sich mit der Religion seiner Väter zu beschäftigen, deshalb sei eine Verbindung unmöglich. Der Ton ist nicht unfreundlich, aber in der Sache lässt der Mann keinen Zweifel, vergisst am Ende auch nicht, dem Doktor baldige Genesung zu wünschen, bestellt Grüße an Dora, zu der er seit Langem leider keine Verbindung habe, und damit ist das Urteil gesprochen. Hat er wirklich geglaubt, es könnte anders lauten? Fast ist Dora enttäuschter als er, offenbar hat sie wider besseres Wissen gehofft, und nun sitzen sie beide da und wissen nicht, was tun. Er hat sich Doras Vater anvertraut, also glaubt er dessen Nein nicht einfach übergehen zu können, es wäre kein gutes Omen, fürchtet er, so wie der Brief selbst kein gutes Omen ist. Dora versucht ihn zu beruhigen. Wir haben uns doch. Haben wir uns etwa nicht? Trotzdem ist es ein schwerer Schlag. Er fühlt, wie ihm weiter die Kräfte schwinden, oder es ist der doppelte Besuch, der wie alle Besuche Kraft gekostet hat, und in dieser trübseligen Stimmung treffen sie auf Max. Er ist für ein paar Tage beruflich in Wien und bemüht sich redlich, etwas Tröstliches zu sagen. Er erkundigt sich nach den Fahnen, die noch unterwegs sind, liest den Brief, findet ihn eher befremdlich als schlimm, schlimm allerdings in seiner Wirkung, wenngleich der Fehler ja wohl darin besteht, ihn geschrieben zu haben. Das zumindest deutet er an. Oder der Doktor bildet es sich ein, denn er hat Mühe, sich zu konzentrieren, außerdem wissen sie kaum, was reden. Alles ist weit weg, die Geschichte mit Emmy, woran Max arbeitet, was genau er in Wien macht, als gingen ihn dergleichen Dinge nichts mehr an. Er hat seit Wochen nicht geschrieben, aber Max fragt nicht danach, auch die beiden nächsten Male nicht, sie gehen auseinander, ohne sich viel gesagt zu haben, dass er wahrscheinlich nie mehr gesund wird, dass sie sich womöglich nicht wiedersehen.

Ein paar Tage fürchtet er sich. In den Nächten, wenn er wach liegt, wenn rund um ihn herum nur Stille ist, wenn er angestrengt lauscht, ob da etwas ist, in diesem Dickicht aus Stille das tröstliche Rauschen eines Wassers, ein paar Schritte, nebenan beim Nachbarn ein Flüstern, sodass man etwas in der Hand hätte, einen klitzekleinen Beweis, dass das Leben nicht aufhört, dass es nur Nacht ist und man am Morgen wohlbehalten erwacht.

Robert hat eine Tüte Kirschen aus Wien mitgebracht, sie sind die ersten Vorboten des Sommers. Es ist Mitte Mai, und er ist seit Ewigkeiten nicht draußen gewesen, schafft es nur hin und wieder auf den Balkon, und auch das immer seltener. Mit dem Schlucken geht es halbwegs gut, er isst, unter den strengen Blicken Doras, die darauf achtet, dass er zeitig schläft, spätestens um neun, halb zehn ist Bettruhe. Oft schaut sie gegen Mitternacht noch einmal vorbei und setzt sich, wenn er wach ist, zu ihm, denn so im Dunkeln lässt sich manches sagen, von seiner Angst, was er bereut, den Brief, dass er nicht anders konnte, und wieder: von seiner Angst. Wenn sie ihn küsst, ist es vorübergehend besser, dann vergisst er, wo und wer er ist, dann ist es fast wie im Sommer. Ist es nicht ein Wunder, dass sie hier ist? Dass sie lebt, unabhängig von ihm, auch jetzt, in dieser Minute? Dass sie atmet und ihr Herz schlägt? Dass es schlagende Herzen gibt?

Dass er nicht schreibt, nimmt er inzwischen hin. Umso größer ist die Freude, als Dora den Umschlag mit den ersten Fahnen bringt und er sich mit eigenen Augen überzeugen kann, dass es andere Zeiten gegeben hat. Er ist nie besonders fleißig gewesen, aber er hat doch etwas vollbracht, es gibt diese Geschichten, auf dem Titelblatt seinen Namen, nichts, das man richtig anfassen könnte, aber einen Stapel bedrucktes Papier, in einer schönen Schrift, nicht ganz so groß wie beim Landarzt. Anfangs liest er mehr als dass er korrigiert, den *Hungerkünstler* mit Tränen in den Augen. Ob er das heute noch könnte? Er sitzt halb aufrecht im Bett und hofft, dass ihn niemand stört, denn gelegentlich kommt der Hilfsarzt, den man schlecht wegschicken kann. Über eine Stunde bleibt er allein. Er hat Zeit, sich zu erinnern, wobei er die Bögen manchmal weglegt und es genießt, dass er beinahe ein wenig arbeitet und auch die nächsten Tage zu tun haben wird, was im Grunde kaum zu glauben ist.

FRANZ HAT IHR DEN ABSAGEBRIEF nur kurz gezeigt, aber noch Tage später ist sie aufgebracht, weiß auf Anhieb wieder die Gründe, warum sie von zu Hause weggegangen ist, zweimal in zwei Jahren, warum sie dem Vater nicht verzeiht, warum sie ihm nicht schreibt. Als sie gemerkt hat, wie schwer Franz die Sache nimmt, hat sie überlegt, ob sie den Vater womöglich umstimmen kann, wenn er wüsste, wie es um Franz steht, dass er nicht mehr lange lebt, denn was bedeutet es dann, ob er ein richtiger Jude ist, da er doch stirbt, also was bedeutet es dann? Bedeutet es etwas? Es bedeutet einen Dreck. Es bedeutet, dass der Vater kein Erbarmen hat, dass er seinen Gott hat, aber nicht das geringste Erbarmen, und folglich wird sie ihm nicht schreiben. Franz hat gesagt: Wir müssen es akzeptieren, wir müssen damit leben, wir müssen mit ganz anderen Dingen leben, Wunder eingeschlossen. Am Tag, als der Brief kam, hat sie Frau Hoffmann auf dem Flur getroffen, sie hat geweint und dann alles erzählt. Das, stellt sich heraus, ist ein Fehler gewesen, denn seither hören die Hoffmanns nicht auf, sie zu bedrängen, sie und Franz sollen so schnell wie möglich heiraten, sie müsse an ihre Zukunft denken, viel Zeit bleibe leider nicht. Das erste Mal bittet man sie sehr förmlich ins Ordinationszimmer, wo sie beide mit ernsten Mienen sitzen, sodass sie sich schon fragt, was um Himmels willen los ist. Frau Hoffmann führt das große Wort, sie meinten es nur gut, würden alles Erforderliche besorgen, einen Rabbiner, den Standesbeamten, was Dora sofort entsetzt ablehnt, das sei nicht im Sinne von Franz. Wie Sie meinen, sagt das Ehepaar, weshalb sie glaubt, die Angelegenheit sei erledigt, aber da hat sie sich getäuscht, denn von da an vergeht kein Tag, an dem sie es nicht auf die eine oder andere Art versuchen. Sie nehmen sie zur Seite, abwechselnd der Mann und die Frau, später auch der Hilfsarzt, und immer sagt sie Nein und möchte sich am liebsten verkriechen.

Gegenüber Franz hat sie die Gespräche mit keinem Wort erwähnt. Doch scheint er etwas zu merken, denn er fragt, ob es Neuigkeiten gibt, etwas, das ich wissen muss, worauf sie es mit halben Wahrheiten versucht. Sie habe mit Dr. Hoffmann gesprochen, ein kurzes Geplauder, wie froh sie beide sind, dass er so tüchtig isst und trinkt, zu den Mahlzeiten Bier und Wein. Am meisten vertraut sie dem jungen Dr. Glas, der dreimal die Woche aus Wien kommt und ihr empfohlen hat, Somatose in das Bier zu geben, ohne Wissen von Franz, der zwar bemerkt, dass es nicht schmeckt, aber ohne Widerrede trinkt. Auch mit den Speisen trifft sie verschiedene Maßnahmen, setzt regelmäßig Eier zu, ohne große Hoffnung auf Besserung, nur damit er halbwegs bei Kräften bleibt. Seit die Fahnen da sind, scheint er das kleine Leben im Sanatorium wieder zu genießen, er sitzt im Bett und korrigiert, nicht sehr viel, nur ab und zu ein Wort, bis es nicht mehr geht. Einmal schreibt er: Wie konnten wir so lange ohne R. sein? Denn während Dora kaum das Haus verlässt, fährt Robert alle paar Tage nach Wien, bringt immer neue Blumen, sodass es manchmal beinahe zu viel ist, Rotdorn, eine Aglaia, weißen Flieder.

Am schönsten findet sie, wenn sie beide im Zimmer sind und jeder für sich beschäftigt ist, denn das erinnert sie an Berlin, die Abende, an denen er in ihrem Beisein geschrieben hat. Alles war still und dicht, irgendwie fromm und zugleich leicht, wie er da saß und schrieb, mit gebeugtem Rücken am Schreibtisch, in den ersten Wochen, als sie sich vor seiner Arbeit fast fürchtete. Aus Prag ist ein Belegexemplar seiner Mäusegeschichte eingetroffen. Franz hat ihr die Zeitung gezeigt, aber jetzt hat sie angefangen zu lesen, weil auch Robert gelesen hat und wissen will, was sie darüber denkt. Von den Mäusen hatte Franz ja erzählt. War das in Berlin oder schon von Prag aus? Wenn sie ehrlich ist, möchte sie die Geschichte nicht lesen, weniger wegen der Mäuse, sondern weil sie sich fürchtet, vor einer Wahrheit, auf die sie nicht vorbereitet ist, über sie und ihn, wie damals in der Maulwurfsgeschichte, obwohl sie dort nur am Rande vorgekommen ist. Als Fleisch. Als etwas, das man sich nimmt, bei Gelegenheit. Wenn man Hunger hat. Das hat ihr damals gefallen, mit einem gewissen Erschrecken, dass die Wahrheit so einfach ist. Ist sie das? Die neue Geschichte ist zum Glück völlig anders, viel zarter, ist ihr Eindruck, mit einem leisen Spott gegenüber Josefine, in der sie ohne große Mühe Franz erkennt. Von ihr selbst gibt es diesmal keine Spur, aber das ist nicht schlimm und dann leider umso mehr, denn am Ende ist er schrecklich allein, er schreibt von seinem Tod und was von ihm bleibt außer ein paar Erinnerungen. Es ist das Schrecklichste, was sie je gelesen hat. Zum Glück ist niemand in der Nähe, es ist lange nach elf, und so sitzt sie nur da und blickt in eine ferne farblose Zukunft, wenn es ihn nicht mehr gibt, mein Gott, oder sie selbst, falls man das denken kann, mit dem unabweisbaren Gefühl, wie vergeblich alles ist.

Franz schläft jetzt viel, mitten am Tag in der Sonne auf dem Balkon, als wäre er längst an Orten, die sie als Außenstehende niemals erreichen kann. Heute, beim Frühstück, hat er sie gebeten, noch einmal an die Eltern zu schreiben, Robert gebe sich redlich Mühe, aber für die Eltern sei er doch ein Fremder, der vielleicht nicht immer den rechten Ton treffe. Viel zu berichten gibt es allerdings nicht. Man kann nur beruhigen und darüber nachsinnen, wie anders alles wäre, wenn die Eltern sie einmal besucht und gesehen hätten, wie schön und gut Franz hier aufgehoben ist. Soll sie schreiben, dass er mehr und mehr zum Kind wird? Das Komische ist, dass er selbst davon anfängt. Er hat ein schlechtes Gewissen, weil er so lange nicht geschrieben hat, aber das komme daher, dass er sich wie immer von jeglicher Form von Mühe und Arbeit fernhalte, höchstens das Essen sei ein wenig anstrengender als es das stille Saugen damals gewesen sein mag. Das erste Mal überhaupt wendet er sich an den Vater. Er zählt auf, was er am häufigsten trinkt, Bier und Wein, *Doppelmalz-Schwechater* und *Adriaperle*, von welcher letzterer er jetzt zu Tokayer übergegangen sei, freilich in so geringen Mengen, dass es dem Vater nicht gefallen würde und ihm selbst auch nicht. Sei der Vater übrigens nicht als Soldat in dieser Gegend gewesen? Kennt er auch den Heurigen aus eigener Erfahrung? Er habe große Lust, ihn einmal mit dem Vater in einigen ordentlichen großen Zügen zu trinken, denn wenn auch die Trinkfähigkeit nicht sehr groß sei, an Durst gebe er es niemandem nach.

Schon seit Tagen hat er einen unangenehmen Darmkatarrh, er kann kaum mehr trinken, geschweige denn essen, sodass Robert und Dr. Glas bereits über künstliche Nahrung nachdenken. Er erhält täglich zwei Alkoholinjektionen, doch der Erfolg ist dürftig, das Fieber und der

Durst wollen kein Ende nehmen. Er beginnt, sich zu verabschieden, schreibt eine lange Karte an Max, die sie am Nachmittag zur Post bringt. Leb wohl, hat er geschrieben, Dank für alles. Wieder und wieder muss sie denken, dass das Ende nah ist, und dennoch ist der Gedanke jedes Mal neu und unfassbar. Auch Frau Hoffmann hört nicht auf zu drängen, es ist nicht mehr viel Zeit, beeilen Sie sich. Sie bespricht sich am Telefon mit Ottla, doch es kommt nicht viel dabei heraus, Ottla kann vor Kummer kaum sprechen, trotzdem redet sie ihr schwach und hilflos zu. Auch Robert hat sich schon in diese Richtung geäußert. Aber dann sitzt sie bei Franz und sieht, wie er weiter hofft, und bringt es nicht übers Herz, ihn zu fragen.

Fast auf jedem Zettel redet er jetzt vom Trinken. Man erinnert sich an Momente, in denen man selbst sehr durstig gewesen ist und verfehlt doch die Qual, die es für ihn bedeuten muss. Er fragt nach gutem Mineralwasser, nur aus Interesse, schafft hin und wieder einen Schluck, sogar ein Glas Wasser ist zu viel. Wenn Dora es ihm hinstellt, schüttelt er den Kopf und beneidet den halb verblühten Flieder in der großen Vase, der noch als Sterbender trinkt, obwohl es das doch nicht gibt, dass Sterbende trinken. Er lächelt, wenn er solche Sachen schreibt, als müsse er nur immer weiter schreiben, um weiter zu leben. Seit einigen Tagen fällt ihr auf, dass Robert die Zettel sammelt; wenn Franz nicht schaut, steckt er sie heimlich ein. Er hat sie nicht gefragt, ob er das darf, aber vielleicht ist es ihr ja mehr recht als unrecht. Oft ist ihr klar, dass es die letzten Tage sind, dann wieder ist sie völlig verwirrt und kann ihn nicht lassen. Sie versucht sich zu zwingen, wenn sie sieht, wie er sich quält, dass sie alles hatten, in dieser gedrängten Zeit, das ganze Glück. Doch wenig später möchte sie nur schreien, weil es nicht mal ein Jahr gewesen ist. Sie wird alles alles verlieren, wenn er fort ist, die Hände, seinen Mund, den Schutz, der er gewesen ist, als wäre ihre Liebe ein Haus, und jemand wolle sie für immer daraus vertreiben.

Die Hoffmanns haben zu einem weiteren Gespräch gebeten. Sie kennt die Sätze und Beschwörungen auswendig, deshalb glaubt sie sich gewappnet, aber diesmal machen die Hoffmanns ernst, sie haben einen Beamten der jüdischen Gemeinde bestellt, vor diesem Beamten soll sie Franz das Jawort geben. Anfangs bemerkt sie nur irgendeinen Mann, es ist Nachmittag, die Stimmung ist gereizt, Dr. Hoffmann und Frau wollen die Zeugen machen, reden wie mit einem uneinsichtigen Kind, von ihrer Zukunft, dass sie nicht versorgt ist, sie muss daran denken, was aus ihr wird. So hämmern sie ihr das Allerunfassbarste wieder und wieder ein. Sie weigert sich. Was soll das für ein Leben sein, denn wenn Franz nicht lebt, was ist dann von ihrem Leben übrig? Sie kann es nicht erkennen und sagt es ihnen auch, dass sie nur Franz sieht. Warum nehmt ihr ihm die letzte Hoffnung? Frau Hoffmann sagt: Aber wäre es nicht schön? Hat er Sie nicht gefragt? Das gibt sie zu, gefragt hat er sie, allerdings habe ihr Vater der Heirat nicht zugestimmt, bloß was tut das eigentlich zur Sache, außerdem ist es Wochen her. Und damit steht sie auf und verlässt das Zimmer. Sie nimmt sich vor, nie mehr ein Wort mit ihnen zu sprechen, spricht auch mit Robert nicht, verletzt, dass er mit ihnen unter einer Decke steckt, sie fühlt sich beschmutzt, rafft sich endlich auf und geht zurück zu Franz.

11

DIE LETZTEN TAGE VERBRINGT ER in wechselhafter Verfassung, halb im Rausch von den Injektionen, rund um die Uhr mit dem Trinkproblem beschäftigt, bei dem es weiter keinen Fortschritt gibt, im Gegenteil, der Durst wird schlimmer und schlimmer. Er träumt das Trinken mehr als dass er trinkt, ab und zu Wasser und pro Woche eine Flasche Tokayer. Er spürt nicht, dass es seine letzten Tage sind. Es gibt ein gewisses Schwanken, das eine Art Ungläubigkeit ist, denn manchmal meint er mit jeder Faser seines Körpers zu spüren, dass er nur aus Schwäche besteht, und dann, im nächsten Augenblick, rappelt er sich wieder auf. Viel zu tun hat er leider nicht, die korrigierten Fahnen sind längst in Berlin, und der zweite Umbruch ist noch nicht eingetroffen. Er kämpft tapfer mit den Mahlzeiten, wird von Robert oder Dora gewaschen. Er sitzt auf dem Balkon, blättert hie und da in einem Buch, Zeitung lieber nicht, obwohl es auch Zeitungen gibt, die Briefe aus Prag, die andere für ihn beantworten oder unbeantwortet auf dem Nachttisch liegen bleiben. Müsste er sagen, wie ihm ist, würde er zugeben, dass es ihm nie schlechter gegangen ist. Aber er kann klar denken, schreibt schön brav die Zettel, bewundert die Geduld, die Robert und Dora mit ihm haben und die er im umgekehrten Fall womöglich nicht hätte.

Wenn er allein ist, denkt er oft an seinen Vater. Bis vor wenigen Wochen, in allen Briefen, hat er sich immer an die Mutter gewandt. Er schrieb an sie beide, meinte aber die Mutter, und jetzt auf einmal sieht er sich mit dem Vater in allen möglichen Gastgärten. Rühren möchte er an den alten Sachen nicht. Es genügt, dass der Vater vorkommt, dass er ihn hat, nicht nur als Drohung, sondern als jemand, der wie alle sein Leben zu bestehen versucht, was womöglich eine Art des Verzeihens ist, im Abstand all der vielen Kilometer, die sie voneinander trennen. Wäre der Vater hier, müsste er wahrscheinlich auf der Stelle verstummen, aber bislang ist es Dora gelungen, sie von der weiten Reise abzuhalten. Schließlich ist er nicht allein, es gibt Leute, die sich kümmern, in Prag hätte er es gewiss nicht besser. Wäre der Vater zufrieden mit ihm als Sterbendem? Er würde ihn loben, glaubt er, allenfalls unzufrieden mit dem Tempo, denn der Vater ist ein reizbarer Mensch, vor allem mit dem Doktor hat er seit jeher schnell die Geduld verloren, nicht selten zu Recht. Der Vater würde ihm auf die Schulter klopfen und sagen: Schon als Kind warst du nicht allzu flink, aber diesmal bin ich guter Dinge, um dann wie immer von einer Sekunde auf die andere ins Gegenteil zu verfallen. So lange dauert das? Du lässt dir Zeit, wie man es von dir ja kennt, aber es ist nicht recht, die Leute warten, wie lange, um Himmels willen, willst du die Leute noch warten lassen.

Dora ist nicht anzumerken, wie sie darüber denkt. Sie lässt ihn kaum aus den Augen, selbst wenn er schläft, denn er schläft sehr viel, auf dem Balkon im Stuhl, im Bett, ohne große Reue. Ist er wach, erfasst ihn mitunter eine große Sehnsucht nach ihrem Körper, er denkt an Berlin, wenn sie bei ihm lag, an Müritz in der Pension, als sie ihn gefragt hat: Willst du? Er sieht ihren Mund,

Hals und Schultern, unter ihrem Kleid das Fleisch, die Stellen, die er vor hundert Jahren berührt hat und noch immer berühren könnte. Heute Abend ist es besonders schlimm, und siehe, sie scheint es bemerkt zu haben, es ist noch so, dass sie etwas aneinander finden. Wäre all das anders, wenn sie verheiratet wären? Sie tasten nach ihrem Fleisch, oder was immer man an einem anderen ertastet; sie wecken es ein wenig auf, nicht wahr, soweit das unter den gegebenen Umständen möglich ist. Liebster, sagt sie, obwohl nicht völlig sicher ist, dass sie das sagt, aber sie ist hier, sie liegt wie Ottla halb über seinem Bett, und es rührt ihn fast zu Tränen, wie zart und jung sie ist. Es ist lange her, dass er über sie und sich geweint hat. Sie sind sehr still, alles ist erfüllt von ihrem Trost, denkt er, ihrer Wahrheit, falls es das gibt, denn nie fühlte er sich dieser Wahrheit so nahe.

Die Eltern haben per Express eine Karte geschrieben. Offenbar hat sich Dora beschwert, dass man so wenig hört, was bei ihren regelmäßigen Ausflügen nicht erstaunlich ist. Das Wetter in Prag ist das allerprächtigste, man geht spazieren und gibt sich den unterschiedlichsten Trinkvergnügungen hin, die ihn mit einem gewissen Neid erfüllen. Die halbe Stadt scheint auf den Beinen zu sein. Man sitzt am Fluss oder weiter oben in den Hügeln, die er alle kennt und nun noch einmal Revue passieren lässt, die Nachmittage in irgendwelchen Wassern, die eine oder andere Bootsfahrt. Jetzt, da er die Stadt für immer verlassen hat, betrachtet er sie mit einem neuen Gefallen, wie er selbst vor Jahren Mailand oder Paris betrachtet hat, mit dem ersten Blick, der eine Art Blindheit ist, ein vertrauensvolles Eintauchen, vor der ersten Erfahrung. Ist es mit Menschen nicht ebenso? Der Anfang gleicht immer einem Zauber, man sieht nur lockende Fremde, überall

ist Pracht, weshalb man kleine Irrtümer in Kauf zu nehmen bereit ist. Aber was heißt schon Irrtümer? Ist nicht
alles Weg? Führt nicht ein jeder zum Ziel? Hier, durch die
hübsche Gasse möchte ich noch gehen. Sie führt leicht
bergauf, man weiß nicht genau, wo man ist, aber dann,
auf halber Höhe, sagen wir, unter dem Hradschin, ist die
Aussicht überwältigend.

Die meiste Zeit wartet er, auf die zweite Fahne aus Berlin,
über deren Eintreffen er im ersten Moment fast erschrickt.
Aber dann bereitet es ihm doch noch einmal Freude, Satz
für Satz zu lesen, was er geschrieben hat, diesmal weniger
überrascht, weil der Eindruck frisch ist, auf alle möglichen
Winzigkeiten konzentriert. Es bleibt erstaunlich, wie viel
man jedes Mal vergisst. Man hat mit praktisch jedem Satz
gerungen, und trotzdem erinnert man sich allenfalls an
die großen Linien, hie und da an ein Detail, das geblieben
ist und aus irgendwelchen Gründen leuchtet.

Er hat mit Robert über das Ende gesprochen, ob es Hilfe für
die letzten Stunden gibt, damit es keine Qual wird. Dora
ist einkaufen gegangen, deshalb können sie sich in Ruhe
beraten, auf einem Zettel stehen die bekannten Alternativen. Vor dem Verhungern fürchtet er sich am wenigsten,
denn darin hat er gewissermaßen Übung, er fürchtet sich
vor dem Ersticken, auch das Verdursten dürfte nicht angenehm sein. Wie also wird es enden? Woran stirbt ein
Körper überhaupt? Bleibt das Herz auf einmal stehen,
oder ist es die Lunge, das Gehirn, denn so richtig vorbei
ist es ja erst, wenn man nicht mehr denkt. Robert wirkt
nicht sonderlich überrascht, er hat längst darüber nachgedacht. Es gibt Medikamente, sagt er, Opium erwähnt
er, Morphium, dass er ihn nicht im Stich lassen wird. Ist
es nicht seltsam, dass sie so einfach darüber reden? Nicht

zum ersten Mal stellt sich dem Doktor die Frage, warum Robert das macht, warum er seit Wochen hier ist und sein eigenes Leben nicht lebt. Er schreibt es auf einen Zettel. Warum kümmern Sie sich nicht um Ihr Leben? Worauf Robert behauptet, hier, in diesem Zimmer sei sein Leben, ich bin bei Ihnen, ich genieße jede Minute. Ist das vorstellbar? Für eine gewisse Zeit, ja, denkt er, wahrscheinlich. Er beobachtet es an sich selbst, das Leben ist noch immer ein Leben, ja, es gefällt ihm, mehr denn je vielleicht, bei den dümmsten Anlässen freut er sich.

Sehr schnell arbeitet er nicht. Er wird das fertige Buch nicht mehr in Händen halten, so viel ist ihm klar, während er unter den Augen Doras weiter korrigiert und hofft, dass etwas bleibt, ein Beweis, dass er sich bemüht hat, dass er eine Aufgabe hatte und sich ihr gestellt hat, wie auch immer das Urteil am Ende ausfallen mag. Er hat sehr vieles spät begriffen, manches mehr geahnt als begriffen. Aber immerhin, er ist mit Dora nach Berlin gegangen, er hat sich auf der Stelle entschieden, und sie ist noch immer da, was weit mehr ist, als er je zu hoffen wagte. Sie hat neue Blumen gebracht und fragt wie üblich, ob er etwas braucht, doch er braucht nichts. Durch das offene Fenster kommen weiterhin die Gerüche, nicht mehr so drängend wie vor Wochen bei der ersten Blüte, es ist Ende Mai, beinahe Sommer, im Sommer vor einem Jahr haben sie sich kennengelernt. Wenn Robert da ist, erinnert sie sich nur allzu gern daran, weiß Details, die er längst vergessen hat, damals auf der Landungsbrücke, wie er sie plötzlich umarmt hat. Weißt du noch? Umarmt hat er sie eigentlich nicht. Es war wohl mehr eine Andeutung davon, der erste Versuch, sich an sie zu lehnen, und in dieser Kunst hat er es zwischenzeitlich ja weit gebracht. Er vermisst die Nächte mit ihr. Ist es nicht unglaublich, dass man sich jemand aussucht, mit dem man des Nachts in einem Bett liegt und schläft, als wäre es eine Kleinigkeit? Er ist mutiger geworden an ihrer Seite. Oder war er erst mutig und dann an ihrer Seite? Er hätte gerne Kinder mit ihr gehabt. Ist es übrigens nicht seltsam, dass das Wünschen und Fragen bis zuletzt nicht aufhört?

12

SEIT EIN PAAR TAGEN SCHEINT ES ihm wieder besser zu gehen. Sie weiß nicht recht warum, ist es die Arbeit an den Korrekturen, ist es das Geflüster in den Nächten, wenn sie lauter alberne Sachen zu ihm sagt, wie sie als kleines Mädchen war, dass sie sich nach dem Tod der Mutter die Haare nicht mehr schneiden ließ und zwei lange Zöpfe trug. Sie erzählt von ihrer Schule, dass sie gerne Geschwister gehabt hätte, solche wie Ottla und Elli, mit denen sie weiter täglich telefoniert und jede noch so kleine Veränderung bespricht. Den Hoffmanns geht sie nach Möglichkeit aus dem Weg. Sie scheinen sich abgefunden zu haben, dennoch ist es unangenehm, ihnen zu begegnen, vor allem der Frau, die sie bedauernd ansieht, ein bisschen wie die Eule, von der sie seit Kurzem träumt. Es ist immer derselbe Traum, ohne genaue Handlung. Das Tier sitzt nur da und blickt sie an. Es macht ihr keine Angst, jedenfalls nicht im Traum, wo es nur ein dummer Vogel ist, ein Gast, denkt sie, ein Bote, wie sie beim Erwachen weiß, dessen Botschaft sie seit Wochen kennt.

Judith hat geschrieben. Im letzten Brief klang sie sehr beschäftigt, aber jetzt ist ihre Welt plötzlich aus den Fugen. Sie ist schwanger von ihrem Fritz, Fritz ist zurück zu seiner Frau, und so kann sie nicht nach Palästina. Sie klingt sehr aufgeregt, enttäuscht, irgendwie fremd, als lebte sie da in Berlin ein unbegreifliches Leben. Franz stirbt, und

Judith erwartet ein Kind, das sie bestimmt nicht will, aber unter Umständen eben doch. Sie sei völlig durcheinander, laufe Tag und Nacht durch ihr Zimmer, auf und ab wie ein Löwe im Käfig, wobei sie mal so, mal so entscheide. Dora weiß nicht recht, was sie ihr antworten soll. Sie schreibt, dass sie ihr Mut wünscht, dass sie gerade nicht kann, ihre Tage seien ganz schrecklich, sie hoffe nur jeden Morgen, dass er atmet, denn solange er atmet, wolle sie alles gern ertragen. Franz findet die Sache nicht so schlimm, er freut sich, Judith kann nicht nach Palästina, na gut, aber warum eigentlich nicht, vielleicht sollte sie mit dem Kind nach Palästina, an Doras und seiner Stelle.

Nachts im Bett, wenn sie den Totenvogel sieht, versucht sie vergeblich zu beten. Sie wüsste nicht um was, um ein Wunder in letzter Minute, dass sie es übersteht, wenn er nicht mehr da ist, denn bald, das ahnt sie, wird er nicht mehr da sein, dann hat sie ihn verloren, da kann sie betteln und klagen so viel sie will. Gegen Morgen klopft es an der Tür, und sie denkt sofort: Jetzt! Aber es ist nur Robert, der von einer unruhigen Nacht berichtet, Franz sei mehrmals aufgewacht und habe nach ihr gefragt. Er klopft mit der Hand neben sich auf die Bettdecke, sichtlich erfreut, und mehr ist da nicht, das übliche Geplauder mithilfe der Zettel, aber keine Geständnisse, keine letzte Prüfung, er liegt nur da und sieht sie an, deutet auf das offene Fenster, durch das die ersten Vogelstimmen zu hören sind. Schlafen kann oder will er nicht. Einmal taucht Robert auf, geht aber gleich weg, um sie nicht zu stören, kommt noch einmal mit dem Frühstück, einem Kaffee für Dora, den sie kaum anrührt. Gegen Mittag schläft er ein. Sie beobachtet seinen Atem, wundert sich über ihre Ruhe, dass man sich gar nichts Besonderes sagt, wenn es zu Ende geht, denn stundenweise ist er wach, beginnt noch einmal zu flüstern, lauter kleine schöne Sachen, für die er eine Ewigkeit braucht, über sie als Schauspielerin, dass er sie auf der Bühne gesehen hat, im Traum in einer ihm unbekannten Rolle.

Wieder bleibt sie bei ihm. Sie hat ihn geküsst und dann lange nicht gewusst, ob sie sich einen Stuhl nehmen soll oder lieber am Bett bleibt, wo sie ihn besser im Blick hat, denn sie möchte ihn noch einmal in Ruhe betrachten, die Hand, die über der Decke liegt, jeden einzelnen Finger, die Kuppen, Nägel, Knöchel, dann das Gesicht, seine Wimpern, den Mund, die leise bewegten Nasenflügel, wobei sie immer wieder einschläft. Sie spürt ihren Rücken vom schiefen Sitzen und Liegen, aber dafür macht ihr Franz die Freude, dass er sie weckt. Sie hat geträumt, aber jetzt weckt er sie, fährt ihr durchs Haar, schon eine Weile, wie er sagt, praktisch ohne Stimme. In ihrem Traum haben sie zusammen Bier getrunken, auch die Eltern waren da und prosteten ihnen vom Nebentisch zu. Franz möchte weiter nicht, dass sie ihn besuchen, zuletzt haben sie offen damit gedroht, deshalb muss man es ihnen ausreden, in einem langen Brief, in dem er Hindernis auf Hindernis türmt. Zwischendurch bringt Robert zwei Schalen mit Erdbeeren und Kirschen, und so bleibt der Brief erst mal liegen. Gegen Abend macht er sich aufs Neue an die Korrekturen. Fertig wird er nicht, aber er wirkt zufrieden, hält beim Einschlafen lange ihre Hand, nicht sehr fest, sodass sie manchmal vergisst, dass da etwas ist, fast ohne Gewicht, als würde es im nächsten Moment davonfliegen.

Gestern im Schlaf hat er mehrfach die Lippen bewegt. Sie hat kein Wort verstanden, aber es bestand kein Zweifel, dass er etwas zu sagen versuchte, wieder und wieder dieselben Worte, eine Art Formel, hatte sie den Eindruck, kein Gebet, wenngleich es sie daran erinnert hat, wie ein frommer Jude in der Synagoge. Geht sein Atem heute schwerer? Am Tag hat er oft gehustet, aber sie ist nicht sonderlich besorgt, nicht mehr als sonst, sieht ihn lange an, unendlich viel müder als gestern, sie kann vor Müdigkeit kaum denken. Um vier Uhr morgens wird sie wach. Sie liegt über seinen Beinen auf dem Bett und hört auf einmal komische Geräusche. Sie kommen von Franz, wie sie sofort begreift, er schnappt nach Luft, fuchtelt sehr seltsam mit den Armen, ohne sie zu sehen, und deshalb springt sie gleich auf und holt Robert. Jetzt, denkt sie. Wie ein Fisch, denkt sie. Aber schnappen Fische nach Luft? Mein Gott, Liebster, sagt sie. Sie steht an seinem Bett und weiß nicht, was sie tun soll, sie versucht ihn zu beruhigen, während Robert den Hilfsarzt holt. Man schickt sie aus dem Zimmer. Franz soll eine Kampferinjektion bekommen, eventuell Morphium, zumindest ist die Rede davon, etwas Eis zum Kühlen haben sie gebracht, und es scheint zu helfen. Franz sieht fürchterlich aus. Der Anfall hat viel Kraft gekostet, aber sie kann sich zu ihm setzen, hält seine Hand, streichelt seine Wange, während er die meiste Zeit schläft. Stunde um Stunde sitzt sie da, wie erstarrt, wie im Inneren der Zeit, die rein und leer ist. Bitte nicht, sagt sie. Hab keine Angst. Ich bin da. Hört er sie überhaupt noch? Irgendwann kann Robert nicht länger zusehen und schickt sie auf die Post, was sie anfangs nicht will. In der ersten Morgensonne geht sie widerstrebend hin, Schritt für Schritt wie ein Automat. Sie gibt die letzten Briefe auf. Die Pause tut ihr gut, sie könnte noch etwas gehen, aber da rennt ihr schon der Hilfsarzt entgegen. Er scheint zu winken und gibt ihr Zeichen, und dann hört sie ihn rufen, kommen Sie schnell, der Doktor. Obwohl sie höchstens eine halbe Stunde fort war, hat sich Franz in ihrer Abwesenheit stark verändert, er wirkt irgendwie geschrumpft, als wäre er nur noch zur Hälfte da. Aber er ist wach, er lächelt, er nickt, bevor er vor Erschöpfung die Augen schließt. Gegen Mittag in ihren Armen stirbt er. Es ist seltsam, dass man es auf der Stelle weiß, womöglich ging ja der Atem nur besonders flach, trotzdem weiß sie es. Robert ist gekommen, dazu der Hilfsarzt. Sie bleibt eine Weile liegen, behält ihn im Arm, wie ein Kind, will sie fast denken, obwohl es doch ihr Mann ist. Endlich steht sie auf und deckt ihn zu, mit einem vagen Gefühl des Abschieds, wie damals auf dem Bahnsteig mit Max, als er nicht ins Abteil wollte. Später beginnt sie ihn zu waschen. Robert hat sie aus dem Zimmer geführt und Kaffee gebracht, aber jetzt möchte sie zurück und wäscht ihn, mit einer neuen Aufmerksamkeit, Körper und Gesicht, all die geliebten Stellen. Darüber vergeht der Nachmittag. Robert hat mit Prag telefoniert, er fragt, ob er ihr etwas helfen kann, und das kann er. Zu Franz sagt sie: Ist es dir auch recht? Sie ziehen ihm frische Wäsche an, den dunklen Anzug, den er lange nicht getragen hat, und erst dann ist sie so etwas wie zufrieden. Essen will sie nicht. Robert hat ihr ein Mittel gegeben, sie sitzen eine Weile zusammen und besprechen die nächsten Schritte. Für Robert ist es keine Frage, dass sie ihn nach Prag bringen. Mein Gott, ja, sagt sie, denn nun kommt sie also nach Prag, Franz ist tot, und sie fährt mit ihm in das verfluchte Prag.

In der ersten Nacht, in der sie kaum schlafen, sagen sie sich wieder und wieder, dass sie es gewusst haben. Sie haben Abschied genommen, aber ist der Schrecken darum kleiner? Sie sind nicht mehr, was sie waren, sagen sie, wie Kinder, die man ausgesetzt hat, draußen und drinnen ist es kalt, obwohl es doch Sommer ist, ein heller, gleißender Tag folgt dem anderen. Robert möchte, dass sie endlich schläft, nur weil er verspricht, nachher mit ihr zu Franz zu gehen, lässt sie sich überreden. Als sie erwacht, weiß sie lange nicht, wo sie ist, im ersten Moment glaubt sie, in Berlin, bevor ihr alles wieder einfällt. Sie hat von Berlin geträumt, wie sie in der Wohnung in der Heidestraße auf Franz gewartet hat. Sie braucht eine Ewigkeit, bis sie wach ist, es gibt Kaffee, bevor sie aufs Neue zu Franz gehen. Aber ist das noch Franz? Wenn man ihn berührt, meint man zu frösteln, sein Gesicht wirkt sehr streng und unnahbar, sie wagt ihn lange nicht zu küssen. Sie möchte ein paar Sachen als Erinnerung und nimmt seinen Schlafrock an sich, die Notizhefte, seine Haarbürste. Frau Hoffmann hat gesagt, dass sie ihn nachher holen und in eine Halle auf dem Friedhof bringen, deshalb versucht sie ihm noch einmal zu sagen, was es für sie bedeutet hat, von Anfang an. Aber es ist schwer, mit einem Toten zu reden, er hört nicht richtig zu, und so gibt sie die Sache auf. Besuch haben sie leider auch. Karl und der Onkel sind angereist, es gibt unschöne Szenen, mitten in ihrem Unglück, denn der Onkel möchte eine Beerdigung in Kierling, während Dora auf Prag besteht, sodass die Angelegenheit endlich durch ein Telegramm des Vaters entschieden werden muss; maßgebend seien allein die Wünsche Doras.

Die nächsten Tage gehen so hin. In der Halle wird er ihr schnell fremder und fremder. Sie weint, weil sie ihn nicht mehr kennt, und dann noch einmal, als sie den Sarg schließen und ihn für immer von ihr wegnehmen. Für die Überführung sind tausend Formalitäten zu erledigen, Robert muss mehrfach aufs Amt wegen der Papiere, aber am Ende hat er sie beisammen, und es kommt der Tag, dass sie sich verabschieden und in den Zug steigen, in dem irgendwo auch Franz ist. Über eine Woche nach seinem Tod treffen sie in Prag ein. Sie lernt seine Eltern kennen. Die drei Schwestern sind da, das Fräulein, alle wie versteinert. Das meiste nimmt sie bloß zur Kenntnis, sein früheres Zimmer, in dem sie wohnen darf, sein Bett, seinen Schreibtisch, der für sie nur ein beliebiger Schreibtisch ist. Wenn sie nicht weint, sitzt sie am großen Tisch und versucht sich zu erinnern. Franz hat ihr Leben in seinen Briefen ziemlich beschönigt, jetzt kann sie das eine oder andere korrigieren und erzählen, wie es wirklich war, wie gut sie es miteinander hatten, vom ersten Tag an. Solange sie erzählt, scheint alles erträglich. Das offene Grab ist schlimm, die Berge von Blumen, dass es keinen Stein gibt, aber nach einer Weile doch, sodass sie wieder ein Ziel hat, es gibt so etwas wie einen Treffpunkt, an dem sie ihm täglich berichten kann. Freunde von Franz haben eine kleine Lesung organisiert, bei der verschiedene seiner Sachen vorgetragen werden, aber das meiste bleibt ihr fremd, als wäre es von einem Franz, den sie nicht kennt. Ist man für verschiedene Menschen jeweils ein anderer? Franz hat sich vor seinen Eltern bis zuletzt gefürchtet, doch sie sieht nur, dass sie alt sind, wie sie mit ihr trauern, dass sie sie nicht wegschicken. Der Juni vergeht und der halbe Juli, und noch immer ist sie in seiner Stadt. Einmal hat sie eine unerfreuliche Begegnung mit Max, der verschiedene Manuskripte von Franz entdeckt hat, Romane, sagt er, Erzählungen, Fragmente, die er nach und nach veröffentlichen will, und so fragt er alle möglichen Leute, ob sie etwas haben und ihm geben können. Als sie verneint, nimmt er es hin, doch bei einem zweiten Treffen bohrt er weiter, ihr habt euch doch geschrieben, wo sind die letzten Notizhefte, aber sie hat inzwischen nachgedacht und ist zu dem Schluss gekommen, dass er kein Recht darauf hat. Ende Juli meint sie zu bemerken, dass sich etwas in ihr klärt. An seinem Geburtstag Anfang des Monats hat sie noch geglaubt, sie müsse vor Schmerz zerspringen, jetzt merkt sie, wie die Kräfte wiederkehren. Ottla und die

Mutter haben viel von Franz erzählt, wie er als Kind war, als Student, sie haben ihr Prag gezeigt, den Fluss und die Brücken, die Wege, die er gegangen ist, die alten Gassen, das Geschäft des Vaters. Auch der Vater vermisst Franz, eher still, mit einem Kopfschütteln, das auch Dora einschließt, als hätte er Franz eine wie Dora nicht zugetraut. Soll sie zurück nach Berlin? Sie wüsste nicht, wohin sonst, selbst wenn dort alles an Franz erinnert. Aber kann es einen Ort geben, wo sie ohne Franz ist? Auch Judith hat geschrieben, sie will das Kind behalten und wartet ungeduldig auf ihre Rückkehr. Noch zögert sie. Es ist Anfang August, sie hat sich eine Fahrkarte besorgt, die Koffer sind gepackt, sie könnte einfach gehen, ohne großen Abschied, und genau das macht sie. Ich werde ihnen schreiben, sagt sie sich, aber nun fährt sie erst mal nach Berlin, wo ein heißer Sommer auf sie wartet und die Bücher von Franz. Sie hat sie alle dabei, auch das neue, für das es noch zu früh ist, deshalb blättert sie in den alten, liest hie und da einen Anfang, den Titel *Elf Söhne* findet sie auf Anhieb sehr schön, er klingt doch sehr nach Franz.

Nachbemerkung und Dank

Der Briefwechsel zwischen Franz Kafka und Dora Diamant ist nicht erhalten. Dora Diamant hat im Sommer 1924 zwanzig Notizbücher und 35 Briefe Kafkas mit nach Berlin genommen, die im August 1933 von der Gestapo bei einer Hausdurchsuchung konfisziert werden und seither als verschollen gelten. Dora Diamant lebte bis 1936 in Deutschland und danach drei Jahre in der Sowjetunion. Kurz nach Beginn des Zweiten Weltkriegs emigrierte sie nach England, wo sie im August 1952 im Alter von 54 Jahren starb. Kafkas Vater lebte bis 1931, seine Mutter bis 1934. Die Schwestern Elli, Valli und Ottla sowie seine Nichte Hanna wurden 1942/43 in den Vernichtungslagern Chelmno und Auschwitz ermordet.

Folgenden Personen danke ich für kritische Lektüre und Unterstützung bei der Recherche: Prof. Dr. Peter-André Alt (Freie Universität Berlin), Kathi Diamant (San Diego State University), Dr. Hans-Gerd Koch (Bergische Universität Wuppertal), Hermann Kumpfmüller, Stefan Kumpfmüller, Matthias Landwehr, Helge Malchow, Olaf Petersenn, Dr. Annelie Ramsbrock (Zentrum für Zeithistorische Forschung Potsdam), Prof. Dr. Klaus Wagenbach.

Weitere Titel von Michael Kumpfmüller
bei Kiepenheuer & Witsch

Hampels Fluchten. Roman
Gebunden

Durst. Roman. Gebunden

Nachricht an alle. Roman
Gebunden

»In Michael Kumpfmüller haben wir unseren Erzähler gefunden.« *Frank Schirrmacher, FAZ*

www.kiwi-verlag.de

Kiepenheuer & Witsch